SHODENSHA
SHINSHO

高校生が感動した「論語」

佐久 協

JN283677

祥伝社新書

まえがき

私は二十五歳から六十歳までの三十五年間、高校で漢文を担当していた。つまり、その間『論語』を毎年少なくとも数章は読み続けていたわけである。三年生の選択科目で『論語』を通して読んだことも四回ほどある。それは『論語』を読みたいという生徒の希望に応じたもので、希望者の数は決して少なくはないのだ。ただし、生徒はすぐに飽きてしまう。私自身も初めて『論語』を手にした時には途中で放り出したくらいだから、生徒が飽きるのも理解できる。しかし、教職に就いたからにはそうも言ってはいられない。そこで、私は生徒が何に躓《つまず》くのか調べてみた。その結果、判明したのが以下の三点である。

一　弟子の言葉が偉そうで「ウザッタイ」
二　人物評や政治抗争や宮廷儀礼を述べた箇所が「ジャマクサイ」
三　口語訳だけでは意味が分からず、注を読まないと理解できないので「カッタルイ」

そこで私は、孔子の言葉だけを、あたかも自分が孔子であり、生徒が弟子であるかのごとく講読してみた。すると、生徒はそれまでより遙《はる》かに興味を示したばかりか、自分流に解釈するようにさえなったのだ。

中には孔子マザコン説やホモセクシャル説を唱える生徒もいた。古来より孔子は野合の子として生まれたコンプレックスから道徳的になったのだとの説があるが、それよりはマザコン説の方が当たっているかもしれない。最愛の弟子顔回《がんかい》との関係はホモセクシャル関係を疑われても不思議でないほどである。

本来、古典というものは時代や個人に即した解釈が許されるものだろう。だからこそ読み継がれてきたのだ。しかし『論語』は聖典とされるあまり、いささか教条的に扱われ過ぎてきた。その結果、訳者も読者も構えすぎて共に疲れ果ててしまうのだ。

本書はこれまでの経験を踏まえ、読者が肩を凝《こ》らさず読めるように『論語』を構成し直し、補筆・翻訳したものである。時間のない読者は、まずは翻訳部分だけを通してお読みいただきたい。それだけでも『論語』の精髄は十分に理解できるはずである。

なお、解説の◎印は私（佐久）流の解釈なので、読者の忌憚《きたん》のないご批判を仰ぎたい。

二〇〇六年五月

佐久　協

高校生が感動した『論語』

※書き下し文は、現代仮名遣いで表記してある。

編集協力：インターノーツ

孔子の生涯と『論語』

孔子は紀元前五五二年十月二十一日あるいは五五一年十一月二十一日に生まれ、紀元前四七九年四月十一日に死んだとされている。王侯でさえ生年月日など定かでない時代にこれほど明確に記録されているということは、孔子の神格化がどれほど熱烈に進められたかの証拠にはなるが、真実となると甚《はなは》だ疑わしい。孔子の経歴は司馬遷《しばせん》の『史記―孔子世家《せいか》』に詳しいが、そもそも世家とは諸侯（日本でいえば大名）の逸話や伝記を記述すべき項目であり、陪臣であった孔子を取り上げること自体が大変な格上げになっているのだ。孔子の誕生日の根拠の一つとされる『春秋公羊《くよう》伝』は孔子の弟子であった子夏《しか》の門人の公羊高の著といわれるし、孔子と弟子の動向を伝える『孔子家語《けご》』にいたっては偽書だとの説が濃厚である。孔子は前漢最後の皇帝の平帝から褒成宣尼公《ほうせいせんじこう》の名を、唐の玄宗皇帝から文宣王《ぶんせんのう》の名を贈られ、それによって司馬遷が行った格上げは追認される形になっているが、だからといってもちろん『史記』の記述が正しいと保証されたわけではない。

父親は孔紇《こつ》（字は叔梁《しゅくりょう》）母は顔徴在《がんちようざい》といい、父親は名を知られた武人であったというが、これもおそらく作り話だろう。白川静氏は『孔子伝』の中で「孔子は孤児であった。父母の名も知られず、母はおそらく巫女《みこ》であろう」と推測しているが、父母が名を知られているような家柄の出身でなかったことは、まず間違いないところだろう。

二十代で魯《ろ》の国の下級役人となり、仕事のことごとくに目覚ましい成果を挙げたとされているが、これも話半分か作り話と見た方が無難である。孔子の経歴で信じてよさそうなのは五十代に入ってからである。この点は『論語』を理解する上で留意してよいだろう。とかく孔子は天才とみなされ、早くから才能を発揮したと思われがちだが、むしろ超スロースターだったのだ。だからこそ孔子の言葉には苦労人ならではの含蓄があるのだ。

孔子が世に出るのに苦労をしたことは『論語』の中で孔子自身が述懐しているが、生まれた場所と時期に関しては恵まれていたと言ってよいだろう。孔子の生国の魯は周《しゅう》王朝を建てた武王の弟の周公旦《たん》を始祖としていた。中国の王の名は死後につけられるもので、武のつく王は歴史上に何人もいるが、大体は気性の激しい武断派である。旦は、武王とその息子である成王を補佐して周王朝の基礎を築いた賢人であり、孔子は周公旦を尊敬し魯国に生まれたことを終生の誇りとしている。魯国こそ周の文化の継承者とみなす孔子の正統意識は、彼の打ち立てた儒学のバックボーンとなり、魯という弱小国に生まれた儒学をグローバル化させるのに大いに力を貸している。

孔子の時代の魯は建国から六百年以上をへて、下克上の状態にあった。家老職に当たる三家が実質的な権力を握り、主君を国外に追い出したかと思うと、今度は家老の家来が主人を押しのけて反乱を起こすといった騒動が続いていた。孔子はそうした世情を慨嘆しているが、もしも、孔子がもっと早く生まれていたならば国状は安定しており、あれほど熱烈に道義政治を唱える必要もなく、伝説的な聖王である堯《ぎよう》や舜《しゆん》や、周公の事績を讃える情熱も起きなかったろう。つまりは儒学と呼ばれる門派を形成することもなかっただろう。

では、もっと遅く生まれていたらどうだったろうか。孔子の死後七十六年たった紀元前四〇三年以降を戦国時代と称するが、孔子の時代でも魯国から南に七百キロほど離れた呉《ご》とその南隣りの越《えつ》の両国は死闘を繰り広げていたのだ。つまり実質的な戦国時代に入っていたのだ。両国の死闘は「臥薪嘗胆《がしんしようたん》」や「会稽の恥」や「呉越同舟」等の故事成語でお馴染《なじ》みだが、呉王の夫差《ふさ》が会稽山で越王の勾践《こうせん》を敗北させたのが孔子五十九歳の年、勾践が胆《きも》を嘗《な》めて復讐を誓い、夫差を自殺させて呉を滅亡させるのが孔子の死の六年後のことである。孔子の誕生が遅れて、中国全土が戦国時代に突入していたなら、孔子の唱える道義政治に耳を傾ける者などいなかったろう。現に戦国時代には儒家は葬儀の進行係のアルバイトで食いつなぐほどに衰退するのだ。孔子は時代的にギリギリのところで学説を生み出し学派を発展させる幸運に恵まれたのだ。

魯の内乱の鎮静後、孔子は五十二歳で中都の代官に抜擢された。世の中の乱れが人材登用を必要とさせ、孔子もようやくのことに世に出られたのだ。もちろん、抜擢されるに足る力量や評判を身に付けていた証拠ではある。翌年には大臣となるが、三年後には職を辞し、十年以上にわたって各国に亡命生活を送る。六十九歳で魯に戻り、弟子の教育に専念して五年後に死ぬ。この間の経歴も、あまりに早い出世や頻繁に移動する亡命生活など記録は疑わしい点が極めて多い。

というわけで、読者には、まずは一切の予備知識なしに『論語』を通読することをお勧めしたい。楽聖ベートーベンの音楽を理解するには彼の苦難の生涯を知ることも重要だろうが、まずは何の先入観も持たずに作品に耳を傾けるのが作曲家としてのベートーベンに対する礼儀であり、それがとりもなおさず彼の音楽理解の正攻法でもあるだろう。孔子の場合も全く同様である。

それでも孔子や『論語』についての予備知識なしに臨むことに心もとなさを感じる読者は、以下の十項目に目を通して記憶の隅に留めておけば十分だろう。

読む前に知っておきたい十項目

一　『論語』は孔子や弟子の言行録であり、孔子の死後短くとも半世紀以上をかけて現行の形になったと考えられている。題名の意味は「語録」をはじめ諸説があるが、よくは分からない。

二　孔子は孔丘《こうきゅう》といい、紀元前五五二～一年に生まれ四七九年に七十二～三歳で亡くなった長身で頑健な肉体を持った実在の人物である（「子」とは男子の美称で、「先生」「殿」「あなた」などの意味に用いられる）。

三　孔子は政治家であり、魯の国の大司冦《だいしこう》（司法大臣）にまでなったが、政治改革に失敗し、晩年は弟子を教育し、理想の政治の実現を後世にゆだねた。

四　孔子の生きた時代を春秋時代、それに続く時代を戦国時代と呼ぶ。戦国時代には、孔子の思想を信奉する集団は「儒家」と呼ばれ、孟子《もうし》や荀子《じゅんし》が活躍したが、政治的にはマイナーな存在だった。

五　紀元前一三六年、武断政治から文治政治への転換をはかる漢の武帝の時に「儒家」の思想が国教とされ、以降、孔子は聖人として崇《あが》められ、『論語』は「儒教」の聖典として一九一二年に清朝が滅びるまで支配階級の必読書であった。

六　一九六〇年代から七〇年代にかけての文化大革命の期間、孔子や『論語』は封建思想の象徴として排斥されたが、現在は中国が世界に誇る古代遺産と位置づけられている。

七　儒教は六世紀前半に日本に渡来し、十七世紀初頭に文治政治をはかる徳川家康によって御用学問となり、それ以降『論語』は第二次大戦が終わるまで広く読まれた。

八　『論語』は、短い章句が特別な項目立てもなく羅列されている。章句の分割には多少の異同はあるが、武内義雄氏の分類では五百十二あり、その中の二百二十九の章句が「子《し》曰《い》わく」（先生がこう仰言《おつしや》った）で始まっている。本書では三百七十七の章句を取り上げた。

九　現行の『論語』は全体をほぼ十等分して一区分を一巻とし、各巻を二等分して一区分を篇と名づけている。つまり、十巻二十篇より成っている。

十　各篇の冒頭の孔子の「ことば」や「人名」から二文字ないし三文字をとって篇名としている。例えば第一篇は、「子曰学而時習之～」と始まるので「学而《がくじ》」篇という。

第一部　孔子のことば

第一章　人生の目標

孔子にとって人生の価値は「結果」にあるのではなく「過程」にあった。人生の過程を重視した孔子は、「目的」を「手段」に優先させなかった。目的のためには手段を選ばないという生き方に孔子は何らの価値も認めていない。孔子のほぼ八十年ほど後輩にあたるソクラテスは、孔子と同様に「人生の目的はただ生きることでなく、善《よ》く生きることである」と唱えている。孔子もソクラテスも結果論者からみれば挫折者であるが、二人のことばが二千五百年もの永《なが》きにわたって伝えられている事実は両者の主張の正しさを証明していると言えるだろう。

1　善《よ》く生きるということ

一　大いに学び、学んだことはしまい込まずに実践すると気分がいいぞ。考えの遠く隔《へだ》たった者とも語り合い、友達づきあいができるようになると楽しいぞ。周《まわ》りが自分を認めてくれないからってクサるなよ。オンリーワンとなるよう精進《しょうじん》しようや。

（学而第一—一）

子曰、學而時習之、不亦説乎、有朋自遠方来、不亦楽乎、人不知而不慍、不亦君子乎、

子《し》曰《い》わく、学びて時にこれを習う、亦《ま》た説《よろこ》ばしからずや。朋《とも》、遠方より来たるあり、亦た楽しからずや。人知らずして慍《いきどお》らず、亦た君子《くんし》ならずや。

【解説】

○日本語の「まなぶ」は「まねぶ」＝真似をするに由来するという。「習」は雛《ひな》鳥が親鳥の羽ばたくのを見て、自分も羽ばたいている様子を表わしているという。目や耳から得た知識を実践・実習するの意味である。

◎「自遠方来」は「遠くからやって来る」というのが従来の訳だが、地理的な距離を表わすだけの意味にとることはないだろう。書物を通して昔の人と友人となると解することもできる。

◎「君子」は単に人格者というより、人の先頭に立って人を導く者・手本となる者であるが、「ナンバーワンになるよりもオンリーワンを目指せ」という時のオンリーワンに最も近いかもしれない。本書では各章に合わせて訳し分けた。

◎「世間が認めてくれない」というのは孔子の感慨でもあったろう。私も頑張っているからお前達もついてこいよ、との呼びかけと読みたい。

二　弟子の顔回《がんかい》と子路《しろ》がいたんで「どうだなお前達、それぞれ、どんな人物になりたいか聞

かせてくれないか」と促《うなが》したことがあるんだよ。すると先輩弟子の子路は、「車馬や服や毛皮のコートを惜しみなく友人と貸し借りし、ボロボロにされたって少しも気に掛けない、そんな太っ腹な人間になりたいものです」と胸を張って答えたよ。顔回は、「善行を自慢せず、苦労を他人に押しつけない、そういう謙虚な人になりたいです」と例によって手短に答えた。すると、子路が「では、先生は」と訊《き》くから、「そうだな、わたしはお年寄りには安心され、友人からは信頼され、年少者からは慕《した》われるような者になりたいものだなァ」と答えたよ。

(公冶長第五—二十六)

顔淵季路侍、子曰、盍各言爾志、子路曰、願車馬衣輕裘、與朋友共、敝之而無憾、顏淵曰、願無伐善、無施勞、子路曰、願聞子之志、子曰、老者安之、朋友信之、少者懐之、

顔淵《がんえん》・季路侍《じ》す。子曰わく、盍《なん》ぞ各々爾《なんじ》の志《こころざ》しを言わざる。子路曰わく、願わくは車馬衣裘《いきゅう》、朋友と共にし、これを敝《やぶ》るも憾《うら》み無からん。顔淵曰わく、願わくは善に伐《ほこ》ること無く、労を施すこと無からん。子路曰わく、願わくは子の志しを聞かん。子曰わく、老者《ろうしゃ》はこれを安んじ、朋友はこれを信じ、少者はこれを懐《なつ》けん。

【解説】

○顔回は孔子の最愛の弟子。姓は顔、名は回、字《あざな》は子淵《しえん》。孔子より三十歳若かったが、孔子の死の

三年前に四十一歳で死んだ。先進第十一―三に「徳行には顔淵」と四科十哲《しかじってつ》（十人の高弟）の筆頭に挙げられている。

○子路は孔子が最も頼りにした弟子。孔子より九歳若かったが、孔子の死の前年に衛の国の内乱に巻き込まれて死んだ。姓は仲《ちゅう》、名は由《ゆう》、字は子路あるいは季路。先進第十一―三に「政事には冉有・季路」と書かれている四科十哲の一人。もとは侠客であったという。

三　黙々と過去を探求し、気長に学び、学んで得たことを人に教えて飽きない。わたしはこれを自分の取り柄《とえ》として生涯持ち続けていくつもりだよ。他には何の欲もないね。

（述而第七―二）

子曰、默而識之、學而不厭、誨人不倦、何有於我哉、

子曰わく、黙《もく》してこれを識《しる》し、学びて厭《いと》わず、人を誨《おし》えて倦《う》まず。何《なに》か我れに有らんや。

四　道徳心が失われていくこと、学問が廃《すた》れていくこと、正義を知っていながら実行する者がいないこと、悪いと知っていながら誰も改めようとしないこと、社会がそんな状態になっていくのがわたしの一番の心配事だよ。

（述而第七―三）

子曰、徳之不脩也、學之不講也、聞義不能徙也、不善不能改也、是吾憂也、

子曰わく、徳の脩《おさ》めざる、学の講ぜざる、義を聞きて徙《うつ》る能《あた》わざる、不善の改むる能わざる、是れ吾が憂《うれ》いなり。

五　正義の実現を目指し、道徳を身につけ、慈愛の心をもち、学問やスポーツを楽しむ。せっかく人と生まれたからには、そんな日常を過ごしてもらいたいもんだよなァ。

（述而第七―六）

子曰、志於道、據於徳、依於仁、游於藝、

子曰わく、道に志《こころざ》し、徳に依《よ》り、仁に依《よ》り、芸に游《あそ》ぶ。

2　どのように生きるべきか

一　自分の人生にことよせて言うのもなんだが、十五歳にもなったら将来のことを漠然とでもいいから考えるといい。わたしは十五歳で学問で身を立てようと決意したよ。二十代は試行錯誤が許されるが、三十歳になったら的《まと》を一つに絞《しぼ》るべきだ。わたしは三十歳で独《ひと》り立ちできるようになった。四十歳というのは難《むずか》しい。成功する者はしているし、ダメなも

のはまだ暗中模索だ。自分の才能に対する自負もある。いやァ、わたしも迷ったよ。だから自分の迷いに惑わされないように気を引き締める年齢だね、四十歳は。五十歳になれば、どんな者でも自分の能力や運を冷静に見つめられるようになるものさ。また過去を振り返ると、この世における自分の役割も自《おの》ずと見えてくる。だから、それに合わせて励むといい。実りの季節だよ、五十代は。六十歳にもなれば、経験も豊富だし、反対意見もゆったりと聞けるようになる。わたしもそうだった。くれぐれも経験を振りかざして頑固オヤジや口出しオバンにならないことだ。七十歳になったら、これまでやり残してきたことをハメを外さない程度に思いっ切りノビノビとやって楽しむことだ。わたしもそうしているつもりだよ。

（為政第二—四）

子曰、吾十有五而志乎學、三十而立、四十而不惑、五十而知天命、六十而耳順、七十而従心所欲、不踰矩、

子曰わく、吾れ十有《ゆう》五にして学に志《こころざ》す。三十にして立つ。四十にして惑《まど》わず。五十にして天命《てんめい》を知る。六十にして耳順《みみした》がう。七十にして心の欲する所に従いて、矩《のり》を踰《こ》えず。

【解説】

○当時の年齢は、第二次大戦前の日本もそうであったように、数《かぞ》え齢《どし》である。一月一日から十二月

三十一日までに生まれた者は全員一歳。翌年の一月一日に全員が一斉に一歳齢をとる。つまり、十二月三十一日に生まれた赤ん坊はわずか一日で二歳になる。

○年齢の別称、志学《しがく》十五歳、而立《じりつ》三十歳、不惑《ふわく》四十歳、知命《ちめい》（あるいは知天命《ちてんめい》）五十歳、耳順《じじゅん》六十歳、従心《じゅうしん》七十歳の出典。

○『礼記―内則第十二』にも年齢と通過儀礼が詳細に記述されている。

二　ともかく**人生**は、**愚直**なくらい**真**っ**直**ぐに**生**きるのが**一番**だよ。**悪智恵**を**働**かせて**羽振**りを**利**《き》かせている**者**をみると**羨**《うらや》ましくなるかもしれないが、そんな**者**を**羨**むことなんか、これっぱかりもありゃしないよ。そういう**連中**は、**今**のところマグレ**当**たりで**禍**《わざわい》を**免**《まぬか》れているに**過**ぎないんだからね。

（**雍也第六―十九**）

子曰、人之生也直、罔之生也、幸而免、

子曰《しのたま》わく、人の生くるは直《なお》し。これを罔《し》いて生くるは、幸《さいわい》にして免《まぬが》るるなり。

豆知識1　姓と氏

姓と氏は、中国でも漢代以降は区別がなくなるが、「姓」は血縁関係にある一族全体の呼称であり、「氏」は一族の中の誰を先祖とするかや、職業や居住地によってつけられた呼称である。中国人は五千年前から姓を持っており、その数は現在では一万二千以上ある。ちなみに大半の人が明治になって姓をつけた日本では、三十万以上ある。中国では一文字姓が圧倒的で、二〇〇五年の調査では李・王・張がベスト3《スリー》で、合計約二億八千万人を占めている。少数派ながら司馬・公孫・諸葛《しょかつ》・欧陽など二文字姓もある。

中国では、生まれた子供は男女を問わず父親の姓を名乗り、娘は結婚しても姓を変えない。これは、子供が両親と同姓の者と結婚するのを血族結婚であるとして忌避する「同姓不婚」という風習に由来する。

さて、孔子の姓だが、一九八八年に中国で、孔子の姓は「子」、「孔」は氏であるという説が出された。それによると、孔子は宋《そう》の襄公《じょうこう》の子孫で、宋襄公の姓は「子」であり、五代の後に「孔」を氏として名乗ったというのだ。その後、これが有力な学説になったとも聞かないが、いずれにせよ「子曰わく」の「子」は先生の意味に訳してよさそうだ。

第二章　家庭生活

孔子にとって総《すべ》ての基本は家庭生活にあり、善《よ》き家庭人であることは善き社会人であることと同じだった。だが、孔子は家庭人として恵まれていたわけではなかった。孔子は三歳で父親を亡くし、二十四歳で母親を亡くしている。十九歳で結婚し、翌年長男の鯉《り》が生まれるが、六十九歳の年に先立たれている。こうした不幸が家庭第一主義を生み出した源であったのかもしれない。いずれにせよ、孔子にとって親孝行は単に道徳の一徳目にとどまるものでなく、人倫の基本だった。

1　親と子

一　家の外では、公《こう》や卿《けい》といった身分の高い人にお仕《つか》えし、家の内では、父や兄に仕える。葬儀や喪の際には誠心誠意をつくし、酒は飲むが乱れない。そのくらいかね、わたしの取り柄は。

（子罕第九—十六）

子曰、出則事公卿、入則事父

子曰《い》わく、出でては則ち公卿《こうけい》に事《つか》え、入りては則ち父

兄、喪事不敢不勉、不爲酒困、
何有於我哉、

兄に事う。喪《も》の事は敢《あ》えて勉めずんばあらず。酒の困《みだ》れを為《な》さず。何か我れに有らんや。

【解説】

○実父は孔子が三歳の時に死んでいるから「父」は岳父（妻の父親）か。

二　**親のやり方に対して、子供はとかく批判や反発をしたくなるものだが、親が生きている間は、そんな短慮をちょいと引っこめて、親がなぜそうしているのか推測してみるといいな。大概は子供のためを思ってやっていることなんだから。反発や批判は親が死んでからでも間に合うさ。その結果、親のやり方を否定するにしても、バッサリ変えるんでなく、親が死んでから三年間ほどかけて徐々に自分流に変えていくくらいの親に対する愛情は残しておいてもらいたいもんだよねェ。**

（学而第一―十一）

子曰、父在觀其志、父沒觀其行、
三年無改於父之道、可謂孝矣、

子曰わく、父在《いま》せば其の志しを観《み》、父没《ぼっ》すれば其の行ないを観る。三年、父の道を改むること無きは、孝と謂《い》うべし。

【解説】

○「三年」は親が死んで足かけ三年（二十五カ月ないし二十七カ月）の服喪に由来する。
◎「父」は両親の意味に解してよいだろう。

三　両親の年齢は絶対に知っておくべきだよ。一つには長寿を喜ぶために、一つには齢老《としお》いることを気遣《きづか》うために。

（里仁第四―二十一）

子曰、父母之年、不可不知也、一則以喜、一則以懼、

子曰わく、父母の年は知らざるべからず。一《いつ》は則ち以て喜び、一は則ち以て懼《おそ》る。

四　親が健在の間は、無茶な冒険や長期の旅行に出かけて心配をかけないようにすることだ。どうしても旅に出たけりゃ、もちろん行く先や連絡先をちゃんと伝えておくべきだよ。

（里仁第四―十九）

子曰、父母在、子不遠遊、遊必有方、

子曰わく、父母在《いま》せば、遠く遊ばず。遊ぶには必ず方《ほう》あり。

【解説】

◎「遠遊」は遠方への旅の意味だが、現在では長期旅行が相応《ふさわ》しいだろう。

五　親と一緒に暮らしていて、親の誤りに気づいた時には穏やかに諫《いさ》めるがいい。親が従わない時には、親に代わって誤りを補い、あくまで親を尊敬して怨《うら》みがましく思わないことだ。そんなふうでありたいもんだよねェ。

（里仁第四―十八）

子曰、事父母幾諫、見志不従、又敬不違、労而不怨、

子曰わく、父母に事《つか》うるには幾《よう》くに諫《いさ》め、志の従わざるを見ては、又た敬《けい》して違《たが》わず、労して怨みず。

【解説】

◎「労」は「心配する」「親からの無理難題による苦労」というのが従来の訳だが、「親に代わって行う補償行為」と解した。

○『礼記―内則第十二』では、注意されたことに腹を立てた親が子供を殴り血を流す労苦とあるが、それが当時の実態だったのかもしれない。

2　親孝行

一　昔のことだが、家老の孟懿子《もういし》殿が「孝行とはどうすればよいのか」と訊《たず》ねられたので、

「違《たが》えないことです」とお答えしたが、理解できたか不安になってね、退出してから御者《ぎよしや》をしていた弟子の樊遅《はんち》に「お前にはわたしの言ったことが分かるかい」と訊《き》いてみたのさ。そうしたら「分からない」と言うじゃないか。そこで「親が生きている間は礼儀をわきまえて接し、亡くなった時には礼法にそった葬儀を執《と》り行い、その後は礼のきまりに従ってご供養《くよう》するということだ。親と接するにも礼儀から外《はず》れないようにという意味だよ」と教えてやったが、ハテ、孟懿子殿はご理解なさっていたものやら。

（為政第二—五）

孟懿子問孝、子曰、無違、樊遲御、子告之曰、孟孫問孝於我、我對曰無違、樊遲曰、何謂也、子曰、生事之以禮、死葬之以禮、祭之以禮、

孟懿子《もういし》、孝を問う。子曰わく、違《たが》うこと無し。樊遅《はんち》、御《ぎよ》たり。子これに告げて曰わく、孟孫《もうそん》、孝を我れに問う、我れ対《こた》えて曰わく、違うこと無しと。樊遅《ち》曰わく、何の謂《い》いぞや。子曰わく、生けるにはこれに事《つか》うるに礼を以てし、死すればこれを葬《ほうむ》るに礼を以てし、これを祭るに礼を以てす。

【解説】

○孟懿子は孔子に礼を学んだことがある。姓は仲孫、魯の三桓（三家老）の一家の長。

○樊遅は孔子より三十六歳若い。姓は樊、名は須、字は子遅。

○親子の間で礼儀というのはよそよそしいと考えがちだが、親しい間柄なればこそ礼儀作法が必要であるというのが孔子の考えである。礼儀とは、親しい者同士がベッタリにならずに距離をおくための、疎遠の者同士が関係を維持するための潤滑油である。

二　そうしたらこの前、孟懿子《もういし》殿のご長男の孟武伯《もうぶはく》殿が「孝行とはどうすればよいのですか」と訊《たず》ねたのだよ。わたしは昔のことを思い出してね、「年老いたご両親様にはご自身方のご健康以外のことでお気を煩《わずら》わせないようになさることです」とご返事したよ。

（為政第二―六）

孟武伯問孝、子曰、父母唯其疾之憂、

孟武伯《もうぶはく》、孝を問う。子曰わく、父母には唯《た》だ其の疾《やまい》をこれ憂えしめよ。

【解説】

◎この章句は「子供は子供の病気以外で親に心配をかけるな」など様々な訳があるが、前章句の続きと見ると、二代にわたって同じ質問を受けた孔子の感慨が読みとれまいか。私も親子二代を担任したことがあるが、自分が齢を取ったのも忘れて、かつての生徒の年齢や健康に思いを馳せたものである。その体験を生かして訳した。

三　そうしたら、今度は弟子の子游《しゆう》が「孝行とはどうすればよいのでしょうか」と訊《たず》ねるじゃないか。そこで「お前たち若い者は、親に衣食住の不自由をさせなければ、それで親孝行をしているつもりになっているかもしれないが、それでは親を犬や馬と同列においているに等しいよ。ただ養うんでなく、尊敬する気持ちがなければ、どんな贅沢《ぜいたく》をさせたって親孝行をしているとは言えないよ」と言い聞かせてやったよ。

（為政第二―七）

子游問孝、子曰、今之孝者、是謂能養、至於犬馬、皆能有養、不敬何以別、

子游《しゆう》、孝を問う。子曰わく、今の孝は是れ能《よ》く養なうを謂《い》う。犬馬《けんば》に至るまで皆な能く養なうこと有り。敬せずんば何を以て別《わか》たん。

【解説】

○子游は孔子より四十五歳若い。姓は言《げん》、名は偃《えん》、字は子游。先進第十一―三に「文学には子游・子夏」と書かれている四科十哲の一人。

四　そうしたら今度は弟子の子夏《しか》が「孝行とはどうすればよいのでしょうか」と負けずに訊《たず》ねたんだ。そこで「そんなに目を吊《つ》り上げてする質問じゃないよ。親に穏やかな表情で接

するのが一番難しいんだぞ。力仕事を年寄りに代わって行ったり、酒やご馳走を先に進めるのも結構だが、そんなことよりも子供の笑顔が親にとっては一番なんだからね」と諭《さと》してやったよ。

（為政第二―八）

子夏問孝、子曰、色難、有事弟子服其勞、有酒食先生饌、曾是以爲孝乎、

子夏《しか》、孝を問う。子曰わく、色難《いろかた》し。事あれば弟子《ていし》其の労に服し、酒食《しゅし》あれば先生に饌《せん》す。曽《すなわ》ち是《こ》れを以て孝と為《な》さんや。

【解説】

◎子夏は孔子より四十四歳若い。姓は卜《ぼく》、名は商、字は子夏。先進第十一―三に前章句の子游と共に「文学には子游・子夏」と書かれている四科十哲の一人。二人は一歳違いであり、ライヴァル意識を持っていたろうと考えられる。そこを考慮して訳した。

○孝についての質問が四つ続き、孔子はそれぞれ異なる返答をしている。相手の立場や年齢に応じて教え分けるのが本来の教えだが、その実践例といえる。

五　親が死んだ後、三年間くらい親のやり方をまもっているなら、親孝行の部類と言えるだろうね。

（里仁第四—二十）

子曰、三年無改於父之道、可謂孝矣、

子曰わく、三年、父の道を改むること無きは、孝と謂うべし。

【解説】

○学而第一—十一に既出のことばだが、訳を変えてみた。

六　親の喪《も》に関して弟子の宰我《さいが》とこんな問答をしたよ。

「三年の喪は一年で十分じゃないですか。どれほど有能な人物でも、三年間も礼や音楽から遠ざかっていたら退歩するでしょう。穀物だって一年たてば古いのを食べ尽くして新しいのが実ってますし、火起こし用の木も一年で交換するでしょう。ですから、一年がキリがいいと思うんですよ」

「お前、親が死んで一年たったら、飯をパクパク食べ、チャラチャラした服を身につけても、何とも感じないと言うのかい」

「ええ、べつに」

「ならば、そうおし。そもそも、喪というのは、美味《おい》しいものを食べても美味しく感じられない、音楽を聴いても心が弾《はず》まない、家にいても心が晴れない、だから行われている慣

習であって、何ともないというなら好きにするがいいさ」

そう言ったら宰我は出ていったが、いやはや宰我のドライなのには呆《あき》れ果てたよ。父母は子供が生まれると三年間は懐《ふところ》の中で育ててくれるもんだよ。だから三年の喪なんて当たり前じゃないか。宰我だって両親からたんと愛情を注《そそ》がれて育っただろうに。

（陽貨第十七―二十一）


宰我問、三年之喪期已久矣、君子三年不爲禮、禮必壞、三年不爲樂、樂必崩、舊穀既沒、新穀既升、鑽燧改火、期可已矣、子曰、食夫稻、衣夫錦、於女安乎、曰、安、女安則爲之、夫君子之居喪、食旨不甘、聞樂不樂、居處不安、故不爲也、今女安則爲之、宰我出、子曰、予之不仁也、子生三年、然後免於父母之懷、夫三年之

宰我《さいが》問う、三年の喪《も》は期《き》にして已《すで》に久し。君子三年礼を為《な》さずんば、礼必ず壊《やぶ》れん。三年楽《がく》を為さずんば、楽必ず崩《くず》れん。旧穀既《すで》に没《つ》きて新穀既に升《みの》る、燧《すい》を鑽《き》りて火を改む。期にして已《や》むべし。子曰わく、夫《か》の稲を食《く》らい、夫の錦を衣《き》る、女《なんじ》に於いて安きか。曰わく、安し。女《なんじ》安くんば則ちこれを為《な》せ。夫《そ》れ君子の喪《も》に居る、旨《うま》きを食らうも甘からず、楽《がく》を聞くも楽しからず、居処《きょしょ》安からず、故に為さざるなり。今女《なんじ》安くんば則ちこれを為せ。宰我出《い》ず。子曰わく、予《よ》の不仁なるや。子《こ》生まれて三年、然る後に父母の懐《ふところ》を免《まぬが》る。夫れ三年の喪《も》は天下の通喪《つうそう》なり。予《よ》や、其の父母に三年の愛あ

喪、天下之通喪也、予也有三
年之愛於其父母乎、

らんか。

【解説】

○宰我は生没年不詳。姓は宰、名は予、字は子我。先進第十一―三に「言語には宰我・子貢」と書かれている四科十哲の一人。

七　**いやあ、並の親孝行者じゃないよ、弟子の閔子騫《びんしけん》は。継母《ままはは》からひどい扱いをされていたのに不平も言わず、それに気づいた父親が継母を追い出そうとしたら、継母の子供たちが可哀想だからと止めて、結果的に継母を改心させたんだからね。彼の孝行ぶりに誰もケチをつけられないのは当然だよ。**

（先進第十一―五）

子曰、孝哉、閔子騫、人不問
於其父母昆弟之言、

子曰わく、孝なるかな、閔子騫《びんしけん》。人、其の父母昆弟《こんてい》を
間《かん》するの言あらず。

【解説】

○閔子騫は孔子より十五歳若い。姓は閔、名は損、字は子騫。先進第十一―三に「徳行には顔淵・閔子騫・冉伯牛・仲弓」と書かれている四科十哲の一人。

孔子画像　孔德成　　(財)斯文会蔵

第三章　教育と学問

孔子はもっぱら教育者として知られているが、孔子が教育に専念するようになったのは晩年のことであり、孔子自身の望みは政治家として立つことだった。孔子は政治家としての挫折によって教育者となったが、政治に背を向けたわけではなく、それどころか自分と同じ政治的志《こころざし》を持つ分身を造ることを教育の大目標としていた。政治家としての挫折体験が偉大な教育家の素地となっている点は、ソクラテスと軌を一にしている。

1　教育の意義

一　人間は、生《き》の素朴さだけで教育が施《ほどこ》されないとガサツ者になってしまうし、教育が過ぎると、素朴さを失くした頭デッカチになってしまう。その絶妙なバランスの取れた者だけを教養のある人物と呼べるんだろうね。

（雍也第六―十八）

子曰、質勝文則野、文勝質則史、文質彬彬、然後君子、

子曰《い》わく、質、文に勝てば則ち野《や》。文、質に勝てば則ち史《し》。文質彬彬《ひんぴん》として然る後《のち》に君子なり。

二　**わたしが亡命して初めて衛《えい》の国に行ったのは五十六歳の時だったが、弟子の冉有《ぜんゆう》が御者《ぎょしゃ》をしていてね、わたしが「いやあ、この国は人口が多いね」と言ったら、冉有が「人口が増えたら次には何をなさいますか」と訊《き》くから、「経済的に豊かにするね」と答えたんだ。すると、「経済的に豊かになったらどうしますか」と突っ込むから、「もちろん教育だよ」と答えたよ。**

（子路第十三―九）

子適衛、冉有僕、子曰、庶矣哉、冉有曰、既庶矣、又何加焉、曰富之、曰既富矣、又何加焉、曰教之、

子、衛に適《ゆ》く。冉有僕《ぜんゆう》たり。子曰わく、庶《おお》きかな。冉有曰わく、既に庶し。又た何をか加えん。曰わく、これを富まさん。曰わく、既に富めり。又た何をか加えん。曰わく、これを教えん。

【解説】

○冉有は孔子より二十九歳若い。姓は冉、名は求、字は子有。先進第十一―三に「政事には冉有・季路」と書かれている四科十哲の一人。

三　**人を愛したら励まさずにはおられんだろうよ。同様に、わたしは誠実な人を見たら教え**

導《みちび》かずにはいられないんだよ。

子曰、愛之能勿労乎、忠焉能勿誨乎、

子曰わく、これを愛して能く労すること勿《な》からんや。忠にして能く誨《おし》うること勿からんや。

（**憲問第十四—八**）

四　わたしは礼に従って教えを乞《こ》いに来た者には、分け隔《へだ》てなく教えてきたよ。教育や学問が党派や派閥づくりになってはダメだからね。

子曰、自行束脩以上、吾未嘗無誨焉、

子曰わく、束脩《そくしゅう》を行なうより以上は、吾れ未だ嘗《かつ》て誨《おし》うること無くんばあらず。

（**述而第七—七**）

【解説】

○「束脩」は、塩づけの干肉十本の束で、教えを乞う際の最少の礼物である。当時の授業料は米・野菜・肉など現物だった。

五　人間は教育によって変われるものさ。生まれつき善人だの悪人だのと決まってるわけじゃないんだよ。

子曰、有教無類、

子曰わく、教えありて類なし。

（衛霊公第十五―三十九）

六　人間は、生まれつきでは大差ないが、その後の学習によって大差がつくものなんだ。だから教育は大切なのさ。

子曰、性相近也、習相遠也、

子曰わく、性、相《あ》い近し。習えば、相い遠し。

（陽貨第十七―二）

2　教育の限界

一　人間にとって最も大切な誠実さを持ち合わせていない者は、シャフトやアクセルのない車と同じで、いくら教育や指導をして先へ進めたくたって進めようがないやね。

（為政第二―二十二）

子曰、人而無信、不知其可也、大車無輗小車無軏、其何以行之哉、

子曰わく、人にして信なくんば、其の可《か》なることを知らざるなり。大車輗《げい》なく小車軏《げい》なくんば、其れ何を以てかこれを行《や》らんや。

【解説】

◎「信義のない者は役に立たない」というのが従来の訳だが、それでは一般論に過ぎるので、教育論と解した。

二 **そうさな、とびっきりの天才と、とびっきりの怠《なま》けものばかりは、教育によっても変えようがないかもしれないねェ。**

子曰、唯上知與下愚不移、

子曰わく、唯《た》だ上知《じょうち》と下愚《げぐ》とは移らず。

（陽貨第十七―三）

3 自発性

一 **教育は受け手の立場に立たなければ効果は上がらないよ。並の能力以上の者には高度な学術をドンドン教えるのもいいが、並以下の者に小難《こむずか》しいことをドンドン教えようとすれば、教える方もムダ骨を折るばかりか、教わる者を勉強嫌いにしてしまうのがオチだね。**

（雍也第六―二十一）

子曰、中人以上、可以語上也、

子曰わく、中人《ちゅうじん》以上には、以て上《かみ》を語《つ》ぐべきなり。中中人以下、不可以語上也、　人以下には、以て上を語ぐべからざるなり。

二　**「どうしようか、どうしようか」と自問自答するくらいの段階に達していない者には、教えようがないもんだよ。**

（**衛霊公第十五—十八**）

子曰、不曰如之何如之何者、吾末如之何也已矣、　子曰わく、如之何《いかん》、如之何《いかん》と曰わざる者は、吾れ如之《いか》何《ん》ともすること末《な》きのみ。

三　**学びたいという自発性のない状態では進歩発展させることはできないし、自分で答が半分でき上がっているくらいでないと教えたって身につきゃしないもんだよ。四角なものの一隅を説明したら、残りの三隅は自分で類推する意欲がなければ、教えてもまずムダだね。つまりだ、真の教育は教わる者の自発性を高めることに力を注《そそ》ぐべきなんだ。自発性さえ芽生《めば》えれば、誰もが自学自得するようになるよ。ムリやり知識を押しつけて教育したつもりになっているのは、とんだ思い違いさ。**

（**述而第七—八**）

子曰、不憤不啓、不悱不發、　子曰わく、憤《ふん》せずんば啓《けい》せず。悱《ひ》せずんば発せず。一

擧一隅、不以三隅反、則吾不復也、

隅《ぐう》を挙げて、三隅を以て反《か》えらざれば、則ち復《ま》たせざるなり。

【解説】

◎自発性のない者には教えないというのが従来の訳だが、教員時代の経験を踏まえて蛇足を加えて訳した。

4　学ぶということ

一　家では親の手伝いもせず、外では老人に席も譲らず、相手を騙《だま》してでも人には勝ちたい、周《まわ》りはぜんぶ競争相手だとネジリハチマキで勉強最優先の生活を送っている若者がいるが、本末転倒もいいとこだね。人を思いやる余裕のないうちは、いくら勉強したって何も身につきゃしないよ。

（学而第一―六）

子曰、弟子入則孝、出則弟、謹而信、汎愛衆而親仁、行有餘力、則以學文、

子曰わく、弟子《ていし》、入《い》りては則《すなわ》ち孝、出《い》でては則ち弟《てい》、謹みて信あり、汎《ひろ》く衆を愛して仁に親しみ、行ないて余力あれば、則ち以て文を学べ。

【解説】

◎原文は「若者はかくあれ」と肯定文で書かれているが、否定表現で訳した方が分かりやすいだろう。孔子の説く学問とは、知識の集積ではなく善く生きることの実践である。

二　**生まれながらにして物事の道理を知っているというのが最高だが、まあ、これは聖人の部類だろうね。あらかじめ学んで知っておくのが次の部類だ。その次の部類は、苦境に立たされてから、慌《あわ》てて学ぼうとする者かな。苦境に立たされても学ぼうとしないのは、こりゃ、もうドン底の部類だな。**

（季氏第十六―九）

孔子曰、生而知之者、上也、學而知之者、次也、困而學之、又其次也、困而不學、民斯爲下矣、

孔子曰わく、生まれながらにしてこれを知る者は上《かみ》なり。学びてこれを知る者は次ぎなり。困《くるし》みてこれを学ぶは又た其の次ぎなり。困みて学ばざる、民斯《こ》れを下《しも》と為《な》す。

三　**弟子の子路《しろ》に「お前は六つの徳に関する六つの弊害《へいがい》ということを聞いたことがあるかい」と訊《き》いたら、「いいえ、聞いておりません」と答えるから、「じゃあ、お座り、教えてあげ**

よう。慈愛を好んでも、行きすぎれば情に流される。知識を好んでも、それだけではただの物知りで終わってしまう。誠実を好んでも軽信や過信という弊害を生む。正直を好んでも偏屈になってしまうこともある。勇気を好んでも行きすぎればただの乱暴と変わりない。剛毅《ごうき》を好んでもバランスを欠けば激情となる。せっかくの徳が弊害に陥《おちい》らないようにするにはどうしたらいいか。学問の裏付けが肝心なんだよ。先人《せんじん》の行為や業績をしっかりと学んで独断に陥《おちい》らないようにすることがね」と話して聞かせたよ。

（陽貨第十七―八）

子曰、由女聞六言六蔽矣乎、對曰、未也、居、吾語女、好仁不好學、其蔽也愚、好知不好學、其蔽也蕩、好信不好學、其蔽也賊、好直不好學、其蔽也絞、好勇不好學、其蔽也亂、好剛不好學、其蔽也狂、

子曰わく、由よ、女《なんじ》六言の六蔽《へい》を聞けるか。対《こた》えて曰わく、未《いま》だし。居れ、吾れ女《なんじ》に語《つ》げん。仁を好みて学を好まざれば、其の蔽や愚。知を好みて学を好まざれば、其の蔽や蕩《とう》。信を好みて学を好まざれば、其の蔽や賊。直を好みて学を好まざれば、其の蔽や絞《こう》。勇を好みて学を好まざれば、其の蔽や乱。剛を好みて学を好まざれば、其の蔽や狂。

四　「成功するためには裏道や抜け道にも精通していなければダメだ」などと、したり顔で

言う者がいるが、そんな要《い》らぬことを学ぶために時間を割《さ》くのは百害あって一利なしだよ。

（為政第二—十六）

子曰、攻乎異端、斯害也已矣、　子曰わく、異端を攻《おさ》むるは斯《こ》れ害あるのみ。

【解説】

◎異端とは、「王道」＝道義中心の正道に対する「覇道《はどう》」＝力中心の権謀術数と考えれば分かりやすいだろう。現在でも相手を出し抜く戦術や戦略研究を政治学や経営学とみなしている学者があとを絶たない。

○「攻むる」は修めるの意味。専攻する。

五　昔の学び手は自分の修養のために学問をしたものだが、今のは知識をひけらかすためにするようになっちまったね。

（憲問第十四—二十五）

子曰、古之學者爲己、今之學者爲人、　子曰わく、古《いにし》えの学者は己れの為めにし、今の学者は人の為めにす。

六　ものを学ぶということは、追っかけっこをしているようなもんさ。油断してちょっと足

を緩《ゆる》めたり、一休みしていると、真理はアッと言う間に追いつけないくらい彼方《かなた》に行っちまうもんなんだよ。

子曰、學如不及、猶恐失之、**（泰伯第八―十七）**

子曰わく、学は及ばざるが如くするも、猶《な》おこれを失なわんことを恐る。

5　学習と思索

一人から知識を教わるだけで自分の頭を使って考えなければ、本当に理解したとは言えないし、かといって、自分一人で考えて満足していると独断に陥っちまう。両者の兼《か》ね合いが何とも難しいポイントだよ。

子曰、學而不思則罔、思而不學則殆、**（為政第二―十五）**

子曰わく、学んで思わざれば則ち罔《くら》し。思うて学ばざれば則ち殆《あや》うし。

【解説】

○これは教育の基本を述べている。本来はまず自分で考え、自分なりの答を出してから先例と比較してみるというのが正道なのだが、効率のために既に出ている答を次からつぎに教えているのが現状である。その結果、単に暗記力のよい者がエリートと呼ばれているのだ。

○哲学者のショーペンハウエル（一七八八〜一八六〇）も『読書について』の中で「自ら思索する者は自説をまず立て、後に初めてそれを保証する他人の説を学び、自説の強化に役立てる」と述べている。

二　**わたしは、若い頃に丸一日食事も睡眠もとらずに思索し続けたことがあるんだよ。いやぁ、フラフラになったが、それ以上考えを増すことはできなかったね。そんなふうに身体を参《まい》らせる前に、学習に移るのが賢明だよ。**

（衛霊公第十五—三十一）

子曰、吾嘗終日不食、終夜不寝、以思、無益、不如學也、

子曰わく、吾れ嘗《かつ》て終日食《く》らわず、終夜寝《い》ねず、以て思う。益《えき》なし。学ぶに如《し》かざるなり。

【解説】

◎「思索より学習が基本である」というのが従来の訳だが、そうではなかろうと思うので蛇足を加えて訳した。

6　知るということ

一　過去をよく学び、その上で新しい知識をつけ加える。そうすれば立派な行動規範となるよ。過去を無視して、ただ新しいからと飛びつけば、とんだニセモノをつかまされるのがオチだぞ。

（為政第二―十一）

子曰、温故而知新、可以爲師矣、

子曰わく、故《ふる》きを温《あたた》めて新しきを知る、以て師為《た》るべし。

【解説】

○「温故知新」の出典。

○新手のサギの防止法として現在でも立派に通用する教えだろう。

二　弟子の子路《しろ》は政務には明るいが直情径行で心配だから、こう言ってやったよ。「お前に知るという意味を教えてあげよう。知っていることは知っていると言い、知らないことは知らないと言う。それが知るということなんだよ」とね。知ったかぶりの政務ほど人民にとって迷惑なものはないからね。

（為政第二―十七）

子曰、由、誨女知之乎、知之爲知之、不知爲不知、是知也、

子曰わく、由《ゆう》よ、女《なんじ》にこれを知ることを誨《おし》えんか。これを知るをこれを知ると為《な》し、知らざるを知らずと為す。是れ知るなり。

【解説】

○ソクラテスの「無知の知」は、この章句と全く同じことを言っている。

三　**弟子の樊遅《はんち》が、「知っているというのは、どういうことを言うのでしょうか」と質問するから、「社会的正義を実践しており、神仏を尊敬しはするが、カルト宗教なんかに騙《だま》されないことだ」と説明してやったんだ。そうしたら、「では仁《じん》は」と訊《き》くから、「人が尻込《しりご》みすることを利害を度外視して進んで行うことだよ」と教えてやったよ。**

（**雍也第六―二十二**）

樊遅問知、子曰、務民之義、敬鬼神而遠之、可謂知矣、問仁、子曰、仁者先難而後獲、可謂仁矣、

樊遅《はんち》、知を問う。子曰わく、民の義を務め、鬼神を敬してこれを遠ざく。知と謂うべし。仁を問う。曰わく、仁者《じんしゃ》は難《かた》きを先にして獲《う》るを後《のち》にす。仁と謂うべし。

四　わたしのことを物知りだと言う人がいるが、わたしは物知りなんかじゃないさ。でも、見ず知らずの風来坊でも本気で知りたくてやって来て質問をしたなら、わたしは懇切丁寧《こんせつていねい》に教えてやるよ。つまり、わたしは人を物知りにさせるのが好きなんだよ。

（子罕第九―八）

子曰、吾有知乎哉、無知也、
有鄙夫、來問於我、空空如也、
我叩其兩端而竭焉、

子曰わく、吾れ知ること有らんや、知ること無きなり。鄙夫《ひふ》あり、来たって我れに問う、空空如《こうこうじょ》たり。我れ其の両端を叩《たた》いて竭《つ》くす。

五　弟子の子貢《しこう》に「おい、お前はわたしを物知りと思っているだろう」と訊《き》いたら、「もちろんです。違《ちが》うのですか」と言うから、「違うとも。わたしは愚直に自分が信じる一本道を脇目も振らずに歩んできただけの人間だよ」と教えてやったよ。

（衛霊公第十五―二）

子曰、賜也、女以予爲多學而
識之者與、對曰然、非與、曰、
非也、予一以貫之、

子曰わく、賜《し》や、女《なんじ》予れを以て多く学びてこれを識《し》る者と為《な》すか。対《こた》えて曰わく、然《しか》り、非《ひ》なるか。曰わく、非なり。予れは一以てこれを貫《つらぬ》く。

【解説】

○子貢は孔子より三十一歳若い。姓は端木《たんぼく》、名は賜《し》、字は子貢。先進第十一—三に「言語には宰我・子貢」と書かれている孔門の四科十哲の一人。

7　好学

一　**何事によらず、対象をただ知っているという段階は、それを好きになるという段階にはおよばないね。しかし、好きという段階も、まだ対象から距離を置いている。好きを通り越して楽しむという段階にまで達すると、対象と一体となった至極《しごく》の境地と言えるだろうね。**

子曰、知之者不如好之者、好之者不如樂之者、

子曰わく、これを知る者はこれを好む者に如《し》かず。これを好む者はこれを楽しむ者に如かず。

（雍也第六—二十）

二　**魯《ろ》の哀公《あいこう》様が「弟子たちの中で誰が一番の学問好きかね」とお訊《たず》ねになったので、「顔回《がんかい》という者がおりました。学問好きで、穏やかで、同じ過ちを決して繰り返さない最高の弟子でしたが、不幸にも短命で、もはやこの世におりません。わたしは、後にも先にも彼ほ**

どの学問好きを知りません」とお答えしたよ。

（雍也第六―三）

哀公問曰、弟子孰爲好學、孔子對曰、有顏回者、好學、不遷怒、不貳過、不幸短命死矣、今也則亡、未聞好學者也、

哀公問う、弟子《ていし》、孰《たれ》か学を好むと為《な》す。孔子対《こた》えて曰わく、顔回なる者あり、学を好む。怒《いか》りを遷《うつ》さず、過《あやま》ちを弐《ふた》たびせず。不幸、短命にして死せり。今や則ち亡《な》し。未《いま》だ学を好む者を聞かざるなり。

【解説】

○哀公は魯の君主。定公の子。哀公即位の十六年目に孔子は死んでいる。

○先進第十一―七に、季康子の同じ問に対し同じ回答がある。

8 誉《ほ》めることと、叱ること

一 わたしは、人をわけもなく貶《けな》したり誉《ほ》めたりはしないよ。誉《ほ》める時は、誉《ほ》めるべき理由を指摘して誉《ほ》めるんだ。というのも、人間は誰でも長所を持っているから、それを指摘しさえすれば、後は古代の純朴な人々と同じように、自分たちで真っ直ぐに伸ばすものだからだよ。

（衛霊公第十五—二十五）

子曰、吾之於人也、誰毀誰譽、如有所譽者、其有所試矣、斯民也、三代之所以直道而行也、

子曰わく、吾れの人に於けるや、誰《たれ》をか毀《そし》り誰をか誉《ほ》めん。如《も》し誉《ほ》むる所の者あらば、其れ試みる所あらん。斯《こ》の民や、三代の直道《ちょくどう》にして行なう所以《ゆえん》なり。

【解説】

◎従来の訳は前段と後段のつながりが不明瞭だが、孔子の教育論と解して訳した。

二　**厳《きび》しいことばや怒った顔で説教すると従おうとするが、心から反省するか否《いな》かが肝心だ。穏やかなことばや表情で忠告すると、ホッとして聞き流しがちだが、ことばの真意をつかみ取ろうとする熱意が肝心だよ。ホッとして聞き流したり、怖《こわ》いから従ってるんじゃ、説教のしがいがないじゃないか。**

（子罕第九—二十四）

子曰、法語之言、能無從乎、改之爲貴、巽與之言、能無說乎、繹之爲貴、說而不繹、從而不改、吾末如之何也已矣、

子曰わく、法語の言は、能《よ》く従うこと無からんや。これを改むるを貴しと為《な》す。巽与《そんよ》の言は、能く説《よろこ》ぶこと無からんや。これを繹《たず》ぬるを貴しと為す。説びて繹ねず、従いて改めずんば、吾れこれを如何《いかん》ともする末《な》き

のみ。

【解説】

◎「法言」は「正しいことば」「格言」というのが従来の訳だが、教員時代の経験を踏まえて訳した。

三　**弟子の宰我《さいが》は要領がよくてね、ちょっと目を離すと部屋でゴロゴロ寝転がって怠《なま》けているような奴《やつ》だったんだ。そこで「腐った木には彫刻はできん。腐った土塀は修復不能だ。お前なんか叱《しか》るだけムダだ！」と怒鳴《どな》りつけてやったことがあるんだよ。でも、考え直してみると、わたしはそれまで弟子の言葉を信じて信頼教育をしていたつもりになっていたが、実際は弟子の行動まで踏み込んで見ていない手抜き教育をしていたことに気づいたんだよ。それからだね、わたしが弟子の言葉と行動の双方を観察して教育できるようになったのは。宰我も四科十哲《しかじってつ》に数えられるまでに成長したもの。出来の悪い生徒は、教育者にとっては良い生徒かもしれないよ。**

（公冶長第五―十）

宰予晝寝、子曰、朽木不可雕也、糞土之牆、不可朽也、於予與何誅、子曰、始吾於人也、

宰予《さいよ》、昼寝《ひるい》ぬ。子曰わく、朽木《きゅうぼく》は雕《ほ》るべからず、糞土《ふんど》の牆《かき》は朽《ぬ》るべからず。予《よ》に於《お》いてか何ぞ誅《せ》めん。子曰わく、始め吾れ人に於けるや、其の言《げん》を聴きて其の行《こう》

聴其言而信其行、今吾於人也、
聴其言而観其行、於予與改是、

を信ず。今吾れ人に於けるや、其の言を聴きて其の行を観《み》る。予に於いてか是れを改む。

【解説】

◎従来の訳は、宰我が叱られたのを現在のこととしており、多くの訳者がなぜ昼寝をしたくらいでこれほど叱られたのか不思議がっている。私は教員時代の体験を踏まえて、過去のこととして訳した。宰我は八佾第三―二十一や陽貨第十七―二十一でも叱られている。

四　わたしが以前にね、「子路《しろ》の琴の音は荒っぽくって、いただけないね」と言ったことがあるんだよ。そうしたら、後輩の弟子たちが子路を軽く見るような素振りを見せはじめたのさ。で、わたしは言ってやったんだ。「お前たちは考え違いをしているよ。子路の腕は一級だよ。まだ奥義《おうぎ》を究《きわ》めていないだけのことだ」とね。教育者や指導者は、弟子たちの前で他の弟子を批評する際には、よくよく言葉を選ばないといけないと、つくづく反省した次第だよ。

（先進第十一―十五）

子曰、由之鼓瑟、奚爲於丘之
門、門人不敬子路、子曰、由

子曰わく、由《ゆう》の瑟《しつ》、奚《なん》為《す》れぞ丘《きゅう》の門に於いてせん。門人、子路を敬せず。子曰わく、由や堂に升《のぼ》れり。未だ

也升堂矣、未入於室也、

室に入らざるなり。

【解説】

○詩は琴と共に吟じて学んだ。

五　若い哀公《あいこう》様が、弟子の宰我《さいが》にお社《やしろ》の御神木《ごしんぼく》について質問された時に、宰我は「夏《か》王朝では松を、殷《いん》王朝では柏《はく》を植えましたが、周《しゅう》王朝は栗《りつ》を植えています。これは人民を戦慄《せんりつ》させるという意味です」とお答えしたというじゃないか。少しばかり弁が立つとすぐに要《い》らざることを口にする。わたしは思わずカッとなってね。徳の政治を勧《すす》めるべき立場にある者が恐怖政治をそそのかすとは何事かとね。でも、とっさに「グチるまい」「責《せ》めまい」「こだわるまい」とわたし自身に言い聞かせて興奮を鎮《しず》めたよ。

（八佾第三―二十一）

哀公問社於宰我、宰我對曰、夏后氏以松、殷人以柏、周人以栗、曰、使民戰栗也、子聞之曰、成事不説、遂事不諫、既往不咎、

哀公、社を宰我《さいが》に問う。宰我、対《こた》えて曰わく、夏后《かこう》氏は松を以てし、殷人《いんひと》は柏《はく》を以てし、周人《ひと》は栗《りつ》を以てす。曰わく、民をして戦栗《せんりつ》せしむるなり。子これを聞きて曰わく、成事《せいじ》は説かず、遂事《すいじ》は諫《いさ》めず、既往《きおう》は咎《とが》めず。

【解説】

◎宰我が家老達の専横を除くために哀公にクーデターをほのめかし、それを孔子が慨嘆したとの貝塚説もあるが、あえて孔子が自らの怒りを抑えたと解した。人に注意を与えるのは難しい。相手のためでなく、自分自身のグチや鬱憤《うつぷん》晴らしになっていないか、叱る前に三箇条を唱えてみるとよい。

9　詩

一　詩経《しきよう》には三百余りの詩があるが、共通点を一言でいえば、「邪心がない」というに尽きるね。有名になろうとか、読み手を感動させてやろうとか、そんな欲得のない純真無垢《むく》な心を蘇《よみがえ》らせたいものだよねェ。

（為政第二―二）

子曰、詩三百、一言以蔽之、曰思無邪、

子曰わく、詩《し》三百、一言《いちごん》以てこれを蔽《おお》う、曰わく思い邪《よこしま》なし。

【解説】

○『詩経』は三百十一篇からなる中国最古の詩集。日本の『万葉集』に当たる。

◎詩の理解者としての孔子を強調するのが従来の訳だが、孔子自身を含めたインテリが失った無垢《むく》な心への憧憬《しょうけい》と解した。

○日本では教育を知育・徳育・体育の三つに分け、徳育は道徳を教えるものと考えがちだが、古代の中国やギリシャでは芸術が徳育に該当するものだった。詩を味わい、絵を鑑賞し、音楽を聴くことによってゆったりとした心を養う。そうすれば自ずと正しい行動がとれる。それがとりもなおさず道徳教育とみなされていたのだ。

二　**わたしは常々こう言ってるんだ。「弟子たちよ、もっともっと詩を学ばにゃいかんぞ。詩は心の反応を豊かにし、観察力を増すぞ。詩を通して友人や仲間もつくれるし、政治批判だってできるじゃないか。家にいては親に仕《つか》え、世の中に出ては君主に仕《つか》えるのにも役立つんだよ。第一、鳥獣や草木の名前を沢山覚えられるじゃないか」とね。**

（陽貨第十七―九）

子曰、小子、何莫學夫詩、詩可以興、可以觀、可以群、可以怨、邇之事父、遠之事君、多識於鳥獣草木之名、

子曰わく、小子《しょうし》、何ぞ夫《か》の詩を学ぶこと莫《な》きや。詩は以て興《お》こすべく、以て観るべく、以て群すべく、以て怨むべし。邇《ちか》くは父に事《つか》え、遠くは君に事え、多く鳥獣草木の名を識《し》る。

三　詩経《しきょう》の三百篇を全部暗誦《あんしょう》していても、政務を任《まか》せるとうまく果たせず、外国に使節に行かせてもオタオタするようでは、詩をただ暗記しているというだけで、何も理解していない証拠だよ。

（子路第十三―五）

子曰、誦詩三百、授之以政不達、使於四方不能專對、雖多亦奚以爲、

子曰わく、詩三百を誦《しょう》し、これに授《さず》くるに政《せい》を以てして達せず、四方に使いして専《ひと》り対《こた》うること能《あた》わざれば、多しと雖ども亦た奚《なに》を以て為《な》さん。

四　わたしは息子にも言ってるんだ、「お前は詩経《しきょう》の冒頭の二編を学んだか。人として詩を理解する心を持てないようでは、土塀《どべい》の真ん前に突っ立っているようなもんだぞ。先の見通しもつけられないし、ましてや進むこともできやしない」とね。

（陽貨第十七―十）

子謂伯魚曰、女爲周南召南矣乎、人而不爲周南召南、其猶正牆面而立也與、

子、伯魚《はくぎょ》に謂《い》いて曰わく、女《なんじ》周南・召南を為《まな》びたるか。人にして周南・召南を為《まな》ばずんば、其れ猶《な》お正しく牆《かき》に面して立つがごときか。

10　音楽

一　**人間の心は、詩によって揺《ゆ》り起こされ、礼によって形造《かたちづく》られ、最終的には音楽によって円《まろ》やかに完成するもんなんだよ。**

（泰伯第八―八）

子曰、興於詩、立於禮、成於樂、　　子曰わく、詩に興《お》こり、礼に立ち、楽《がく》に成る。

二　**詩経《しきよう》の詩は、読んでもいいが、曲をつけて聴くとさらに気持ちがいいね。陽気なものもバカ騒ぎでないし、しんみりしたものも陰気でなく、まったく心が洗われるよ。**

（八佾第三―二十）

子曰、關雎、樂而不淫、哀而不傷、　　子曰わく、關雎《かんしよ》は楽しみて淫《いん》せず、哀《かな》しみて傷《やぶ》らず。

【解説】

○為政第二―二に通じる孔子の芸術論である。孔子は素直な感情表現を重んじたが、刺激的であることは感性を鈍らせるものとして排除している。孔子が現代のやたらと刺激的な映画や小説や音楽に接したなら、現在の殺伐とした世界はこれが原因だと言うだろう。

三　愛情がこもっていなければ、いくら表面上うやうやしくしたって礼儀とは言えないだろう?どれほど美声で歌っても情愛が伝わってこなけりゃ音楽とは呼べまいよ。

（八佾第三―三）

子曰、人而不仁、如禮何、人而不仁、如樂何、

子曰わく、人にして仁ならずんば、礼を如何《いかん》。人にして仁ならずんば、楽《がく》を如何せん。

四　礼だ礼だと言ったって、装飾品や絹織物の上べの美しさの問題でないように、音楽だって鐘や太鼓の表面上の技巧だけが重要じゃないんだよ。すべては内面の心をいかに伝えるかが肝心さ。

（陽貨第十七―十一）

子曰、禮云禮云、玉帛云乎哉、樂云樂云、鐘鼓云乎哉、

子曰わく、礼と云《い》い礼と云うも、玉帛《ぎょくはく》を云わんや。楽《がく》と云い楽と云うも、鐘鼓《しょうこ》を云わんや。

五　わたしが三十代後半から四十代にかけてのことだが、初めての亡命生活で斉《せい》の国に滞在していた折りに、聖王と謳《うた》われた舜《しゅん》王の作曲と伝えられる韶《しょう》の音楽を聴いて学んだことがあるんだよ。その三カ月間というもの、わたしは肉を食べても味に気が回らないほど夢中になった。「音楽がこんなに素晴らしいものとは思わなかった！」何度もそう声に出して賛嘆したほどだったよ。

（述而第七―十三）

子在齊、聞韶樂三月、不知肉味、曰、不圖爲樂之至於斯也、

子、斉《せい》に在《いま》して韶《しょう》を聞く。三月、肉の味を知らず。曰わく、図《はか》らざりき、楽《がく》を為《な》すことの斯《ここ》に至らんとは。

六　わたしが六十九歳で衛《えい》の国から魯《ろ》に戻ってきてから、ようやくそれまで乱れていた我が国の音楽は正され、宮廷の舞楽もきちんと行われるようになったんだ。これは、わたしのいささか誇《ほこ》るに足《た》る業績だね。

（子罕第九―十五）

子曰、吾自衛反於魯、然後樂正、雅頌各得其所、

子曰わく、吾れ衛《えい》より魯《ろ》に反《かえ》り、然る後《のち》に楽《がく》正しく、雅頌《がしょう》各々其の所を得たり。

11　スポーツ

一　本当に能力のある者はむやみに他人と競争したりしないものだ。競《きそ》うとすれば、弓を射る時くらいかね。それにしたって礼に始まり礼に終わり、その後はなごやかに酒を酌《く》み交《かわ》すだろう。争《あらそ》いでなく友好だよ、紳士の競《きそ》い合いは。

（八佾第三―七）

子曰、君子無所争、必也射乎、揖譲而升下、而飲、其争也君子、

子曰わく、君子は争う所なし。必らずや射《しゃ》か。揖譲《ゆうじょう》して升《のぼ》り下《くだ》り、而して飲ましむ。其の争いや君子なり。

【解説】

○孔子の言わんとするところは、日本人には理解しやすいだろう。「弓道」「柔道」「剣道」……等、日本の競技は単なる勝ち負けでなく、自分を磨く「道」である。『孟子―公孫丑章句上三十』にも弓の当たり外れは自分自身に原因があるので相手を怨むことがないと指摘されている。

○西郷隆盛は「人は人を相手にせず、天を相手にするものなり」と教訓しているが、現代の日本では小さい頃から人と競わせ過ぎ、それがイジメ横行の一原因だろう。

二　**心身の修養のための弓射《きゅうしゃ》は、的《まと》に命中させることや、まして矢がどれほど深く的《まと》に突き刺さったかなどを重視しないよ。人を殺傷することに力点をおく軍事訓練じゃないんだからね。昔の人はそうした異《ちが》いをちゃんと心得ていたのさ。昔が今より野蛮だなんて考えるのはとんだ思い上がりだよ。**

（八佾第三―十六）

子曰、射不主皮、爲力不同科、古之道也、

子曰わく、射《しゃ》は皮《ひ》を主とせず。力の科を同じくせざるが為めなり。古《いにし》えの道なり。

【解説】

◎「不同科」は「力量が異う」というのが従来の訳だが、全体の意味が不明な訳が多い。文科と兵科の異いと解したら分かりやすいだろう。

12　著述

一　**わたしは古代の聖人たちの業績を伝えることを自分の任務と心得ており、新説を創り出すつもりはないんだ。次から次に新しいものを追いかけるよりも失われた良きものを発掘して評価することが大切だよ。わたしは、自分が目立つよりも、古代の聖人を目立たせる**

黒子《くろこ》であることを誇《ほこ》りとしているのさ。

子曰、述而不作、信而好古、竊比於我老彭、

子曰わく、述べて作らず、信じて古《いにし》えを好む。竊《ひそ》かに我が老彭《ろうほう》に比す。

（述而第七―一）

二　**物事をろくに知りもしないうちに、いきなり創作する者がいるが、わたしにはとてもそんな軽はずみなことはできないね。可能な限り多くの人から聞いて間違いないものを選んで受け入れ、可能な限り多くの書物に当たって記録する。これでも、まだ調査の段階であって、知るというのはその次の段階を言うんだからね。創作なんて先の先のことだよ。**

子曰、蓋有不知而作之者、我無是也、多聞擇其善者而從之、多見而識之、知之次也、

子曰わく、蓋《けだ》し知らずしてこれを作る者あらん。我れは是れ無きなり。多く聞きて其の善き者を択びてこれに従い、多く見てこれを識《しる》すは、知るの次《つ》ぎなり。

（述而第七―二十七）

三　**君主から弟子までが、わたしが何か特別の秘策を隠していると思い込んでいるようだが、そんなものあるもんかい。わたしは、自分が知ってることをすべて公表しているよ。公明**

正大に大道を歩むこと。それ以外に成功の道などあるもんかね。それこそがわたしの秘策の中の秘策だよ。

（述而第七—二十三）

子曰、二三子以我爲隱乎、吾無隱乎爾、吾無所行而不與二三子者、是丘也、

子曰わく、二三子《にさんし》、我れを以て隠せりと為《な》すか。吾れは爾《なんじ》に隠すこと無し。吾れ行なうとして二三子と与《とも》にせざる者なし。是れ丘《きゅう》なり。

【解説】

◎弟子に向かって語ったというのが従来の解釈だが、広く世間に向かっての声明と解した。

四　わたしは夏《か》王朝の礼制についてよく口にするが、夏《か》の子孫である杞《き》の国にはわたしのことばを裏付ける資料はまったく残されていない。同様に、わたしは殷《いん》王朝の礼制についても語るが、殷の子孫にあたる宋《そう》の国にもわたしのことばを裏付ける資料は何もない。古文書も伝承者も共に存在しないんだよ。存在していたら、わたしの説の正しさが立証できるのに、まったくもって残念なことだよ。

（八佾第三—九）

子曰、夏禮吾能言之、杞不足

子曰わく、夏《か》の礼は吾れ能くこれを言えども、杞《き》は徴《しるし》

徴也、殷禮吾能言之、宋不足徴也、文献不足故也、足則吾能徴之矣、

とするに足らざるなり。殷《いん》の礼は吾れ能くこれを言えども、宋は徴とするに足らざるなり。文献、足らざるが故なり。足らば則ち吾れ能くこれを徴とせん。

五　弟子の子張《しちょう》が「これから十代先の王朝の予測ができますか」と訊《たず》ねるから、「わたしは予言者じゃないが、夏《か》王朝から殷《いん》王朝に代《か》わった時、どんな制度が廃止され、どんな制度が新たにつけ加えられたかを知ることはできるだろう。殷王朝から周《しゅう》王朝に代わった時も同様だ。それを見ると、王朝がどういう方向に動いているかが分かるはずだ。その流れを突き進めて行けば、百代先の王朝の姿もおおよその推測は可能だろうよ」と答えてやったよ。

（為政第二―二十三）

子張問、十世可知也、子曰、殷因於夏禮、所損益可知也、周因於殷禮、所損益可知也、其或繼周者、雖百世亦可知也、

子張《しちょう》問う、十世《じゅっせい》知るべきや。子曰わく、殷《いん》は夏《か》の礼に因《よ》る、損益する所知るべきなり。周は殷の礼に因る、損益する所知るべきなり。其れ或るいは周を継ぐ者は、百世と雖《いえ》ども知るべきなり。

【解説】

○孔子はただの復古主義者でなかった。現代の政治家よりよほど科学的・社会進化論的な歴史認識

を持っていたことが分かる。

13 師

一 人が三人以上で行動した場合、その中に自分の師となる者を必ず見つけられるもんだよ。優れた者はもちろんお手本になるだろう。劣《おと》った者に関しては、その行動を真似しないように心掛ければ、これも立派にお手本になるじゃないか。友達の悪に染まったなどというのは、とんだ言い逃れだよ。

（述而第七―二十一）

子曰、我三人行、必有我師焉、擇其善者而從之、其不善者改之、

子曰わく、我れ三人行なえば必ず我が師有り。其の善き者を択《えら》びてこれに従う。其の善からざる者にしてこれを改む。

二 弟子の子貢《しこう》が衛《えい》の国の家老の公孫朝《こうそんちょう》殿に、「あなたの先生は誰に学問を学んだのですか」と問われたので、こう答えてくれたそうだ。

「周《しゅう》の文王《ぶんのう》様や武王《ぶおう》様の築かれた文化や学問は朽《く》ち果ててしまったわけでなく、今日まで

伝承されております。奥義《おうぎ》は賢者に伝わっておりますし、並の者でも一般的な慣習を知っておりますす。両王様の文化はいたる所にあるのです。ですから、先生は誰にでも学ばれましたし、特定の先生につくことはありませんでした」と。

（子張第十九―二十二）

衛の公孫朝、子貢に問いて曰わく、仲尼焉《ちゅうじいずく》にか学べる。子貢曰わく、文武の道、未だ地に墜《お》ちずして人に在り。賢者《けんじゃ》は其の大なる者を識《しる》し、不賢者は其の小なる者を識す。文武の道あらざること莫《な》し。夫子焉《ふうしいずく》にか学ばざらん。而して亦《ま》た何の常師《じょうし》かこれ有らん。

衛公孫朝問於子貢曰、仲尼焉學、子貢曰、文武之道、未墜於地、在人、賢者識其大者、不賢者識其小者、莫不有文武之道焉、夫子焉不學、而亦何常師之有、

14　弟子

一　思えば、わたしの弟子には錚々《そうそう》たるメンバーがいたよ。徳行では顔回《がんかい》・閔子騫《びんしけん》・伯牛《はくぎゅう》・仲弓《ちゅうきゅう》だろう、雄弁では宰我《さいが》と子貢《しこう》、政事では冉有《ぜんゆう》に子路《しろ》、文学では子游《しゆう》と子夏《しか》だ。

（先進第十一―三）

徳行顔淵閔子騫冉伯牛仲弓、
言語宰我子貢、政事冉有季路、
文學子游子夏、

徳行《とくこう》には顔淵《がんえん》・閔子騫《びんしけん》・冉伯牛《ぜんはくぎゅう》・仲弓、言語には宰我《さいが》・子貢《しこう》、政事には冉有・季路、文学には子游《しゆう》・子夏。

【解説】

○「四科十哲」の出典。

○伯牛は孔子より七歳若い。姓は冉《ぜん》、名は耕、字は伯牛。

○仲弓は孔子より二十九歳若い。姓は冉《ぜん》、名は雍《よう》、字は仲弓。

二　弟子の高柴《こうさい》は融通が利かないし、曾参《そうしん》は呑み込みが遅いし、子張《しちょう》は見栄っ張りだし、子《し》路《ろ》は荒っぽいときている。でも、皆それぞれに欠点はあるが、それがかえって教育者としてのわたしを鍛《きた》えてくれたし、それぞれにわたしによく尽くしてくれたよ。

（先進第十一―十八）

柴也愚、參也魯、師也辟、由
也喭、

柴《さい》や愚《ぐ》、参《しん》や魯《ろ》、師や辟《へき》、由《ゆう》や喭《がん》。

【解説】

○高柴は孔子より三十歳若い。姓は高、名は柴、字は子羔《こう》。

○曾参は孔子より四十六歳若い。姓は曾、名は参、字は子輿《しよ》。
○子張は孔子より四十八歳若い。姓は顓孫《せんそん》、名は師、字は子張。
◎次の章句の対と解して蛇足を加えて訳した。

三　**教育者**というのは、**問題児**や**出来**の**悪**い**弟子**によって**鍛**《きた》えられ、**育**てられる**面**があるものだ。そうした**意味**では、**顔回**《がんかい》はわたしの**助**けにはならなかったが、**彼**はわたしのことばに**喜**んで**反応**し、いつだってわたしを**喜**ばせてくれたものだ。**欠点**のないのが**欠点**のような**弟子**だったよ、**回**ってやつは。

（**先進第十一―四**）

子曰、回也非助我者也、於吾言無所不説、

子曰わく、回や、我れを助くる者に非ざるなり。吾が言に於て説《よろこ》ばざる所なし。

15　後輩

一　**後輩**を**侮**《あなど》っちゃいけないよ。アッと**言**う**間**に**追**い**抜**かれるかもしれないからね。**若**いうちは**四**～**五十歳**までには**名**を**成**すように**心掛**けるがいい。その**齢**《とし》で**少**しは**人**に**知**られていないようじゃ追い抜くも抜かれるもなかろうからね。

（子罕第九―二十三）

子曰、後生可畏也、焉知來者之不如今也、四十五十而無聞焉、斯亦不足畏也已矣、

子曰わく、後生《こうせい》畏《おそ》るべし。焉《いずく》んぞ来者《らいしゃ》の今に如《し》かざるを知らんや。四十五十にして聞こゆること無くんば、斯《こ》れ亦た畏るるに足らざるのみ。

【解説】

○自身が晩成であったためか、孔子は必ずしも早熟を奨励しているわけではなかった。

○「後生」に対する語が「先生」であり、本来は先に生まれた人の意味である。

豆知識2　名前

中国のインテリは沢山の名前を使い分けた。まず、生まれて付けられるのが「名」であり、死後は「諱《いみな》」と呼ばれる。次に二十歳の元服時につけられるのが「字《あざな》」である。他に書画や詩文に記す「号《ごう》」がある。現在のペンネームにあたり、これは自分で付けるから幾つも持っている者も少なくない。さらに功績によって死後に朝廷などから贈られるのが「諡《おくりな》」である。孔子は、諱《いみな》が丘《きゆう》、字《あざな》が仲尼《ちゆうじ》、号は尼父《じほ》、諡《おくりな》は文宣王《ぶんせんのう》である。この諡《おくりな》は死後千二百年以上たった西暦七三九年に唐の玄宗皇帝によって贈られている。

「名」の使い方は、難しい。相手を名で呼ぶことは、時と場合によっては大変な非礼となったり、逆に尊敬表現になったりする。日本でも、名前を本人の前で呼び捨てにすると非礼だが、有名人の場合、特に死後は「夏目漱石さん」などと呼ばずに呼び捨てが尊称とみなされているのと同様である。

さて、『論語』では場面に応じて弟子が「名」で呼ばれたり「字」で呼ばれたりしており、その相異は重要なのだが、読者にとっては煩雑なので、本書では各弟子を「名」か「字」かのいずれかに統一して訳してある。

道徳的社会を創《つく》りだすことが孔子の目的だった。教育によって道徳的な人材を育てて社会に送り出し、彼等の感化力によって社会全体を道徳的なものにするのがその方法だった。つまり孔子にとって、道徳は目的であると同時に手段だった。道徳的規範は法律を補助する二次的な存在ではなく、人間社会を支える根幹であり、法律や軍事力に勝る現実的・物理的パワーを持つものとみなされていたのだ。

第四章　道徳の力

1　道徳の意義

一　人は家の外に出る時には誰でも戸口を通って出て行くだろう。なのに、どうして社会に出るのに道徳の道を通っていこうとしないんだね。

（雍也第六―十七）

子曰、誰能出不由戸者、何莫由斯道也、

子曰わく、誰か能く出《い》ずるに戸《こ》に由らざらん。何ぞ斯《こ》の道に由ること莫《な》きや。

【解説】

◎「道」は、いわゆる道が従来の訳だが、「道徳の道」と解した。

二　**わが身を正しく律《りつ》することができるならば、国の政治を行うことなど、わけなくできるさ。わが身を正せないような者には、他人の教化などできっこないやね。**

（子路第十三—十三）

子曰、苟正其身矣、於従政乎何有、不能正其身、如正人何、

子曰わく、苟《いやし》くも其の身を正しくせば、政に従うに於いてか何か有らん。其の身を正しくすること能《あた》わざれば、人を正しくすることを如何《いかん》せん。

三　**われわれ一人一人が道徳を身につければ、社会はその分だけ確実に善《よ》くなるんだよ。だから、道徳や誰かが社会を善くしてくれるのをボケーッと待っているべきではないんだぞ。**

（衛霊公第十五—二十九）

子曰、人能弘道、非道弘人也、

子曰わく、人能《よ》く道を弘《ひろ》む。道、人を弘むるに非ず。

【解説】

◎「道が人間を広めるのではない」というのが従来の訳だが、意味不明なので蛇足を加えて訳した。

2 徳

一　わたしは、美人を寵愛してそば近くに居《お》く人物は大勢見てきたが、有徳者を尊重してそばに居《お》く人物を見たことがないね。

（子罕第九—十八）

子曰、吾未見好徳如好色者也、

子曰わく、吾れ未だ徳を好むこと色を好むが如くする者を見ざるなり。

【解説】

◎「美人を愛するように学問や道徳を愛する人を見ない」というのが従来の訳だが、君主や高官に対する批判と読んだ。司馬遷の『史記—孔子世家十七』では、孔子の衛の霊公に対する批判とされている。

○衛霊公第十五—十三にほぼそっくり繰り返されている。

二　弟子の樊遅《はんち》と雨乞い台のある広場を散歩していた時のことだったが、「徳を高め、心の悪を除き、惑《まど》いを見極《みきわ》めるにはどうすればよいのでしょうか」と訊《き》かれたんだよ。でね、「うん、そいつはいい質問だな。まず、なすべきことをなし、利益は後回しにする。そう努めていれば次第次第に徳は高まるよ。次に、自分の悪行は責めても、他人の悪行を責めない。そうしていると、自分の心から悪は除かれていくよ。一時の腹立ち紛れに我を忘れて家族に八つ当たりするのが一番身近な惑《まど》いだから、そういうことをしないように努力することだ」と教えてやったよ。

（顔淵第十二―二十一）

樊遲從遊於舞雩之下、曰、敢問崇德脩慝辨惑、子曰、善哉問、先事後得、非崇德與、攻其惡無攻人之惡、非脩慝與、一朝之忿忘其身以及其親、非惑與、

樊遅《はんち》従いて舞雩《ぶう》の下《もと》に遊ぶ。曰わく、敢《あ》えて徳を崇《たか》くし慝《とく》を脩《おさ》め惑《まど》いを弁ぜんことを問う。子曰わく、善いかな、問うこと。事を先にして得ることを後にするは、徳を崇くするに非ずや。其の悪を攻《せ》めて人の悪を攻むること無きは、慝を脩むるに非ずや。一朝の忿《いきどお》りに其の身を忘れて以て其の親《しん》に及ぼすは、惑いに非ずや。

三　道すがらせっかくためになる話を聴かせても、すぐにそれを別の人に話して聞かせる者がいるが、それでは自分が身につけるべき徳という宝物を道ばたに投げ捨てているのと同じだね。

（陽貨第十七―十四）

子曰、道聴而塗説、徳之棄也、　子曰わく、道に聴《き》きて塗《みち》に説くは、徳をこれ棄《す》つるなり。

【解説】

◎従来の訳は一般論と解しているが、孔子が弟子たちに語ったと解すべきだろう。孔子は弟子に見合った異なる教えをしているから、それを右から左へ流すような行為は看過できなかったのだろう。

○「道聴塗説《どうちょうとせつ》」＝善言を心にとめない、根拠のない話、受け売り話、の出典。

3　仁《じん》

一　人民にとって仁愛《じんあい》は水や火よりも大切なものだ。しかもだ、水や火なら誤って踏み込んだ者を溺《おぼ》れさせたり、火傷《やけど》で死なせたりするだろう。しかし仁愛は踏み入った者を絶対に傷つけたりしないんだ。人民にとって、仁愛ほど有益なものはありゃあせんよ。

（衛霊公第十五—三十五）

子曰、民之於仁也、甚於水火、水火吾見蹈而死者矣、　子曰わく、民の仁に於けるや、水火よりも甚だし。水火は吾れ蹈《ふ》みて死する者を見る。未だ仁を蹈みて死す未見蹈仁而死者也、　　る者を見ざるなり。

二　仁の実行には、先生はもとより誰にだって遠慮なんかすることないぞ。

（衛霊公第十五―三十六）

子曰、當仁不讓於師、　子曰わく、仁に当たりては、師にも譲らず。

三　弟子の顔回《がんかい》が「仁とはどういうことですか」と訊《き》いたので、「私利私欲に打ち勝って、公共の福祉に寄与することだ。たった一人の人間が一日でもそれを実践したなら、やがては世の中に仁が行き渡るようになるんだよ。つまり仁の広がりは個々人のやる気に掛かっているのであって、他人事ではないのさ」と答えたんだ。すると、「実践の細目をご伝授ください」と言うから、「公共の福祉に反するものは『見ない・聞かない・言わない・しない』の四点だ」と教えたんだ。すると顔回は「分かりました。およばずながら、おことば通り実行します」と返答したよ。

（顔淵第十二―一）

顔淵問仁、子曰、克己復禮爲　顔淵《がんえん》、仁を問う。子曰わく、己れを克《せ》めて礼に復《かえ》るを
仁、一日克己復禮、天下歸仁　仁と為《な》す。一日己れを克《せ》めて礼に復れば、天下仁に帰《き》

焉、爲仁由己、而由人乎哉、
顏淵曰、請問其目、子曰、非
禮勿視、非禮勿聽、非禮勿言、
非禮勿動、顏淵曰、回雖不敏、
請事斯語矣、

す。仁を為すこと己れに由《よ》る。而して人に由らんや。顔淵曰わく、請《こ》う、其の目《もく》を問わん。子曰わく、礼に非ざれば視ること勿《な》かれ、礼に非ざれば聴くこと勿かれ、礼に非ざれば言うこと勿かれ、礼に非ざれば動くこと勿かれ。顔淵曰わく、回《かい》、不敏《ふびん》なりと雖ども、請う、斯《こ》の語を事《こと》とせん。

【解説】

◎従来の訳では「礼」の意味が不明確なので「公共の福祉」と訳した。

四　弟子の仲弓《ちゆうきゆう》が「仁とはどういうことですか」と訊《き》いたんで、彼は政治家志望だから、「いったん家を出たら誰に対しても国賓に会うように丁寧に接し、国民を使役する際には、国家の大祭を執《と》り行うようにうやうやしく扱う。自分がしてもらいたくないことは決して人にもしない。そうすれば、公的生活でも私的生活でも人に怨《うら》まれずにすむよ」と教えてやったよ。仲弓は「分かりました。およばずながら、おことば通り実行します」と言ってたがね。

（顔淵第十二―二）

仲弓問仁、子曰、出門如見大賓、使民如承大祭、己所不欲、勿施於人、在邦無怨、在家無怨、仲弓曰、雍雖不敏、請事斯語矣、

仲弓《ちゆうきゆう》、仁を問う。子曰わく、門を出《い》でては大賓《だいひん》を見るが如くし、民を使うには大祭に承《つか》えまつるが如くす。己れの欲せざる所は人に施すこと勿かれ。邦に在りても怨み無く、家に在りても怨み無し。仲弓曰わく、雍《よう》、不敏なりと雖ども、請う、斯の語を事とせん。

（顔淵第十二―二）

五　**そうしたら今度は弟子の司馬牛《しばぎゆう》が「仁とはどういうことですか」と訊《き》いたんだ。彼は多弁だからね、「仁の実践家は口ごもるもんだよ」と言ってやったんだ。すると「口ごもれば、それで仁と言えますか」とトンチンカンな質問をするから、「口ごもる人間のすべてが仁者ではないが、仁者は実践が先で口は後だから、口ごもりがちなのは仁者か否かを判断するポイントにはなるだろうね」と答えたよ。**

司馬牛問仁、子曰、仁者其言也訒、曰、其言也訒、斯可謂之仁已乎、子曰、爲之難、言之得無訒乎、

司馬牛《しばぎゆう》、仁を問う。子曰わく、仁者《じんじや》は其の言や訒《じん》。曰わく、其の言や訒、斯《こ》れこれを仁と謂《い》うべきか。子曰わく、これを為《な》すこと難《かた》し。これを言うに訒なること無きを得んや。

【解説】

○司馬牛は、姓は司馬、名は耕、字は子牛。孔子を殺そうとした宋国の司馬桓魋《かんたい》の弟という。

六　弟子の子張《しちょう》が「仁とはどういうことですか」と訊《き》くので、「まあ、いかなる環境でも五つのことを行えたなら仁と言えるだろう」と答えたんだ。すると、「その五つをお教え下さい」と言うから、「恭・寛・信・敏・恵の五つさ。恭《うやうや》しければ人から侮《あなど》られないですむ。寛容ならば人望を得られる。誠実であれば人から信用される。敏活だと仕事をこなせる。恵み深ければ、人も骨身を惜しまず働いてくれるだろう」と説明してやったよ。

（陽貨第十七―六）

子張問仁於孔子、孔子曰、能行五者於天下爲仁矣、請問之、曰、恭寛信敏恵、恭則不侮、寛則得衆、信則人任焉、敏則有功、恵則足以使人、

子張、仁を孔子に問う。孔子曰わく、能く五つの者を天下に行なうを仁と為《な》す。これを請《こ》い問う。曰わく、恭寛信敏恵なり。恭なれば則ち侮《あなど》られず、寛なれば則ち衆を得、信なれば則ち人任じ、敏なれば則ち功あり、恵なれば則ち以て人を使うに足る。

【解説】

◎「於天下」は「広い地域」というのが従来の訳だが、「いかなる状況や環境」の方が理解しやすい

だろう。
○堯曰第二十―三に、ほぼ同じことばが繰り返されている。

4　仁に至る方法

一　「**仁**」という**言葉**を**口**にすると、**誰**もがとてつもなく**難**しく**到達不可能**なものと**思**い**込**むが、**到達**しようとの**覚悟**さえ**持**てば、**向**こうから**歩**み**寄**って**来**るもんなんだよ。「**念**ずれば**叶**《かな》う」だよ。

（述而第七―二十九）

子曰、仁遠乎哉、我欲仁、斯仁至矣、

子曰わく、仁遠からんや。我れ仁を欲すれば、斯《ここ》に仁至る。

二　**弟子**の**原憲**《げんけん》が「**勝**ち**気**・**自慢**・**怨恨**《えんこん》・**貪欲**《どんよく》の**四点**に**関**《かか》わる**行為**をしなければ**仁**と**言**えましょうか」と**訊**《き》くので、「そうさな、**難**しいことを**実行**しようとしていることは**分**かるが、はて、それが**出来**たから**仁**であると**言**えるかどうか、わたしにも**分**からないね」と**答**えたよ。**仁**とは、**自己抑制**よりも、もっと**素直**で**溌剌**《はつらつ》としたものなんだがねェ。

（憲問第十四—二）

克伐怨欲不行焉、可以爲仁矣、
子曰、可以爲難矣、仁則吾不
知也、

克《こく》・伐《ばつ》・怨《えん》・欲《よく》、行なわれざる、以て仁と為《な》すべし。
子曰わく、以て難《かた》しと為すべし。仁は則ち吾れ知らざるなり。

【解説】

○原憲は孔子より三十六歳若い。姓は原、名は憲、字は子思。

三　弟子の子貢《しこう》が「もしも国民全体に幸福感を与えられ、生活苦を除けたとしたら、仁と言えましょうか」と訊《き》くから、「それができたら仁どころか聖と言うべきだよ。あの聖王と謳《うた》われた堯《ぎょう》や舜《しゅん》様たちさえ、それができずに悩まれたんだ。だからといって、わたしは、仁が手の届かない所にあると言ってるわけじゃないんだよ。自分が立身出世をしたければ、まず人を先に出世させてあげる。自分が成功したければ、人が先に成功するように手を貸してやる。卑近な例を取って喩《たと》えれば、これだって立派に仁に至る方法なんだからね」と話して聞かせたよ。

（雍也第六—三十）

子貢曰、如能博施於民、而能

子貢曰わく、如《も》し能《よ》く博《ひろ》く民に施して能く衆を済《すく》わば、

濟衆者、何如、可謂仁乎、子曰、何事於仁、必也聖乎、堯舜其猶病諸、夫仁者己欲立而立人、己欲達而達人、能近取譬、可謂仁之方也已、

何如《いかん》。仁と謂うべきか。子曰わく、何ぞ仁を事《こと》とせん。必らずや聖か。堯舜も其れ猶《な》お諸《こ》れを病《や》めり。夫れ仁者は己れ立たんと欲して人を立て、己れ達せんと欲して人を達す。能く近く取りて譬《たと》う。仁の方《みち》と謂うべきのみ。

【解説】

◎「能近取譬」は「他人のことを自分の身近に引き比べる」「身近な例から始める」というのが従来の訳だが、「立」も「達」もあえて実利的に訳した。

四　弟子の樊遅《はんち》が「仁とはどうすればよいのでしょうか」と質問したので、「振る舞いを穏やかにし、行動を慎重にし、人との交際では誠実であるように心掛けることだ。たとえ相手が文化的に劣っていてもだよ」と教えてやったよ。

（子路第十三―十九）

樊遅問仁、子曰、居處恭、執事敬、與人忠、雖之夷狄、不可棄也、

樊遅《はんち》、仁を問う。子曰わく、居処《きょしょ》は恭に、事を執りて敬に、人に与《まじわ》りて忠なること、夷狄《いてき》に之《ゆ》くと雖ども、棄《す》つるべからざるなり。

【解説】

◎最後の句は「未開の地に行っても恭・敬・忠の三つは捨てられない」「そういう人は未開の地でも放っておかれない」というのが従来の訳だが、交際論と解して訳した。

五　弟子の子貢《しこう》が「仁を身につけるにはどうすればよいでしょうか」と訊《き》くから、「大工さんがいい仕事をしようと思ったら、まず道具を研《と》ぐだろう。だから、まずはその国で賢者とされる政治家に仕《つか》え、仁徳者と言われる者を友として、我が身を磨《みが》くことだ」と教えてやったよ。

（衛霊公第十五―十）

子貢問爲仁、子曰、工欲善其事、必先利其器、居是邦也、事其大夫之賢者、友其士之仁者也、

子貢、仁を為《な》さんことを問う。子曰わく、工《こう》、其の事を善くせんと欲すれば、必らず先ず其の器《き》を利にす。是《こ》の邦に居りては、其の大夫《たいふ》の賢者に事《つか》え、其の士の仁者を友とす。

5　礼と、その効用

一　**表面上**いくらうやうやしく**振る舞**っていても、**礼の心**がこもっていなけりゃ、ただのペコペコと**変**わりない。**慎**《つつし》**み深く振る舞**っていても**礼の心**がこもっていないと、オドオドと**変**わりない。**勇敢**に**行動**していても**礼儀**にかなっていないと、ただの**乱暴行為**と**変**わらんし、**実直**に**行動**しているつもりでも**礼儀**にかなっていなければ、**頑固**な**行為**と**変**わりない。つまり**礼**の**本質**は**心**にあるんだ。**政治**に**携**《たずさ》わる**者**が**親族**と**仲**むつまじいなら、**国民**も**大**いに**助**け**合**いの**精神**を**発揮**するようになるだろうし、**政治家**が**昔馴染**《なじ》みを**忘**れなければ、**国民**だって**友情**に**厚**くなるさ。こんなことは、**当**たり**前**すぎて**言**うまでもないことだよ。

（**泰伯第八**――**二**）

子曰、恭而無禮則勞、愼而無禮則葸、勇而無禮則亂、直而無禮則絞、君子篤於親、則民興於仁、故舊不遺、則民不偸、

子曰わく、恭にして礼なければ則ち労す。慎にして礼なければ則ち葸《し》す。勇にして礼なければ則ち乱る。直にして礼なければ則ち絞《こう》す。君子、親《しん》に篤《あつ》ければ、則ち民仁に興《お》こる。故旧《こきゅう》遺《わす》れざれば、則ち民偸《うす》からず。

二　**人民**を**治**《おさ》めるには、**知**・**仁**・**荘**・**礼**の**四点**が**肝心**だ。**政治的知識**は**十分**でも**仁徳**がなければ、いったんは**人民**を**従**わせても**結局**は**離反**されてしまう。**知識**と**仁徳**の**二点**は**十分**でも、**荘重**な**態度**がないと**人民**から**尊敬**されないし、**知識**・**仁徳**・**荘重**の**三点**がそろってい

ても、人民を統治するのに礼儀を欠いていれば完璧と言うにはほど遠いね。

（衛霊公第十五—三十三）

子曰、知及之、仁不能守之、雖得之必失之、知及之、仁能守之、不莊以涖之、則民不敬、知及之、仁能守之、莊以涖之、動之不以禮、未善也、

子曰わく、知はこれに及べども仁これを守ること能《あた》わず、これを得ると雖ども必らずこれを失う。知はこれに及び仁能《よ》くこれを守れども、荘以てこれに涖《のぞ》まざれば、則ち民は敬せず。知はこれに及び仁能《よ》くこれを守り、荘以てこれに涖《のぞ》めども、これを動かすに礼を以てせざれば、未だ善ならざるなり。

三　思いやりと譲り合いの精神で政治を行ったならば、国を治めることなどわけないさ。思いやりの心がなければ、いくら礼の規則が整っていたって、そんなのはただの絵に描いたモチだよ。

（里仁第四—十三）

子曰、能以禮讓爲國乎、何有、不能以禮讓爲國、如禮何、

子曰わく、能く礼譲《れいじょう》を以て国を為《おさ》めんか、何か有らん。能く礼譲を以て国を為めずんば、礼を如何《いかん》。

四　政治家が礼儀正しくあれば、国民も感化され、統治の手間は省《はぶ》けるもんだよ。

（憲問第十四―四十三）

子曰、上好禮、則民易使也、　子曰わく、上《かみ》、礼を好めば、則ち民《たみ》使い易《やす》し。

五　向学心に富む者は様々の本を読むだろうが、読みっぱなしにしないで、読んだ内容を礼の規範を基準に取捨選択して実行すれば、誤りを犯さずにすむものだよ。

（雍也第六―二十七）

子曰、君子博學於文、約之以禮、亦可以弗畔矣夫、　子曰わく、君子、博《ひろ》く文を学びて、これを約するに礼を以てせば、亦た以て畔《そむ》かざるべし。

【解説】

○顔淵第十二―十五にそっくり繰り返されている。

六　見習い弟子の林放《りんぽう》がね、「礼儀の根本は何でしょうか」と質問したんだ。いやぁ、根本を答えるのは難しいよ、しかも新参《しんざん》の若者に。そこで、「根本を理解しようとするのは見上げた心がけだ。そうさな、何事もきらびやかであるよりも質素を心がけ、葬式も形式に気を配るよりも心から悲しむように心掛けるといいだろうな」と、すぐに役立つように教

えてやったよ。

（八佾第三—四）

林放問禮之本、子曰、大哉問、禮與其奢也寧儉、喪與其易也寧戚、

林放《りんぽう》、礼の本《もと》を問う。子曰わく、大なるかな問うこと。礼は其の奢《おご》らんよりは寧《むし》ろ倹《けん》せよ。喪《も》は其の易《おさ》めんよりは寧ろ戚《いた》め。

【解説】

○孔子の教えは抽象論でなかったから門弟三千人といわれるほどの人々を惹きつけ、一人一人に合った回答をしているから、それを聴いた弟子たちは感激して孔子を終生の師と仰いだのだろう。

6 礼儀作法

◎この項は、礼法の実践家としての孔子の言動を描写しているものの中から、礼儀作法として現在でも役立ちそうな部分を切り取って孔子のことばとして訳した。

一 喪《も》に服している当人がいる通夜などの席ではガツガツものを食べないこと。弔問に行って泣いたあとは気分直しにカラオケに寄ったりしないこと。そのくらいの思いやりは常に

持っていてもらいたいものだよねェ。

子食於有喪者之側、未嘗飽也、子於是日也哭、則不歌、子、喪《も》ある者の側《かたわ》らに食すれば、未だ嘗《かつ》て飽《あ》かざるなり。子、是《こ》の日に於《お》いて哭《こく》すれば、則ち歌わず。
（述而第七―九）

二　**席に着く時に椅子や座布団をきちんと直してから腰掛けてごらん。それだけでも礼儀正しく美しい振る舞いに見えるものだよ。**

席不正不坐、　席《せき》正しからざれば、坐せず。
（郷党第十―九）

三　**酒の入った懇親会や宴会では、杖をついた老人が退出するのを見届けてから退出するくらいの心配りを持つといいね。**

郷人飲酒、杖者出斯出矣、　郷人《きょうじん》の飲酒には、杖者出《じょうしゃい》ずれば、斯《ここ》に出《い》ず。
（郷党第十―十）

四　人を送り出す時、とりわけ用を頼んで送り出すような場合には、別れに臨んで頭を下げて挨拶するだけでなく、背に向かって、もう一度頭を下げるくらいの心遣《づか》いが欲しいものだね。

（郷党第十―十一）

問人於他邦、再拜而送之、

人を他邦《たほう》に問えば、再拝してこれを送る。

五　わたしは主君からのお呼び出しがあると、馬車の用意が出来るのを待たずに、直ぐに徒歩で家を飛び出したもんだよ。馬車が追いかけてきて乗るんだから、合理的でないという人がいるがね、一秒でも早く馳《は》せ参《さん》じたいという思いはちゃあんと先方に伝わるものだよ。

（郷党第十―十七）

君命召、不俟駕行矣、

君、命じて召せば、駕《が》を俟《ま》たずして行く。

六　寝る時には、リラックスし過ぎて死体のような無様《ぶざま》な姿にならないように心掛けること。その代わり、ふだん家にいる時には、しゃちこばらずにくつろぐことだよ。

（郷党第十―二十）

寝不尸、居不容、

寝《い》ぬるに尸《し》せず。居るに容《かたち》づくらず。

【解説】

○「しゃちこばる」「しゃっちょこばる」は「しゃちほこ張る」＝城の天守閣の屋根の鯱のように緊張してかたくなるの意。

七　車に乗り込む時には身体《からだ》を真っ直ぐにし、手摺《てす》りに確《しっか》りつかまること。車内ではキョロキョロしたり、大声で喋ったり、他人を指さしたりしないよう気をつけることだね。

（郷党第十―二十二）

升車、必正立執綏、車中不内顧、不疾言、不親指、

車に升《のぼ》りては、必らず正しく立ちて綏《すい》を執《と》る。車の中にして内顧《ないこ》せず、疾言《しつげん》せず、親指せず。

7　正義

一　優れた人物は何事に関しても、絶対にこうしなければならないとか、逆に絶対にこうしてはダメだと自分の主張にしがみついたりしないもんだよ。なぜといって、誰もが納得できる客観的な正義を基準にして行動しているからさ。

（里仁第四―十）

子曰、君子之於天下也、無適也、無莫也、義之與比、

子曰わく、君子の天下に於《お》けるや、適《てき》も無く、莫《ばく》も無し。義と与《とも》に比《ひ》す。

二　**君子というのは、考え方は正義を根本とし、行動は礼儀にかなない、言葉は謙遜で、人々から信頼されて物事を成就する、まことに立派な人物のことを言うんだよ。**

（衛霊公第十五―十八）

子曰、君子義以爲質、禮以行之、孫以出之、信以成之、君子哉、

子曰わく、君子は義以て質と為《な》し、礼以てこれを行ない、孫《そん》以てこれを出《い》だし、信以てこれを成す。君子なるかな。

三　**「善を見たら押っ取り刀で追いかける。不善を見たら熱湯を浴びたように飛び退去《すさ》る」という言葉があり、わたしはそういう人を見たこともあるし、そういう言葉を人が口にするのも聞いたことがあるよ。「隠居後も理想を高く正義を行い、道を究《きわ》めん」という言葉も聞いたことがあるが、あいにく、そうした正義の人物にお目に掛かったことはないね。一つわたしがお手本になろうかね。**

（季氏第十六―十一）

孔子曰、見善如不及、見不善如探湯、吾見其人矣、吾聞其語矣、隠居以求其志、行義以達其道、吾聞其語矣、未見其人也、

孔子曰わく、善を見ては及ばざるが如くし、不善を見ては湯を探《さぐ》るが如くす。吾れ其の人を見る。吾れ其の語を聞く。隠居して以て其の志しを求め、義を行ないて以て其の道を達す。吾れ其の語を聞く。未だ其の人を見ず。

四　武勇好みの弟子の子路《しろ》がね、「君子は勇気を尊《とうと》ぶでしょう」と言うから、「君子が第一に尊ぶのは正義さ。人の上に立つ者に勇気があっても正義がなけりゃ、反乱でも起こすのが関の山だろう。小人物《しょうじんぶつ》に勇気があって正義がないと、強盗でもしかねないのと同じようにね」と話してきかせたよ。

（**陽貨第十七**——二十三）

子路曰、君子尚勇乎、子曰、君子義以為上、君子有勇而無義為亂、小人有勇而無義為盜、

子路曰わく、君子、勇を尚《とうと》ぶか。子曰わく、君子義を以て上《かみ》と為《な》す。君子、勇有りて義なければ乱を為す。小人、勇有りて義なければ盗を為す。

豆知識3　序列

中国では、日本の太郎・次郎・三郎……に当たるものとして「伯《はく》・仲《ちゅう》・叔《しゅく》・季《き》」があり、孔子は字《あざな》が仲尼《ちゅうじ》であるから兄がいたことが分かる。両親の兄や姉を「伯父・伯母」、弟や妹を「叔父・叔母」と区別するのもこれに由来する。孔子の故国の魯では斉の桓公の子孫の三桓が家老職として実権を握っていたが、三家の呼称である「仲孫氏」「叔孫氏」「季孫氏」もこれに由来している。「仲孫氏」は一説では「孟孫氏」とあるが、「孟」は長兄の意味である。季節の初めを「孟春」「孟夏」と称するのはこれに由来する。

大家族制度の中国では、一族中の子供を男女別に番号を振って呼ぶ風習があり、これを排《はい》行《こう》という。排行は一族内での通称だが、友人同士では親しみをこめて相手を排行で呼ぶこともある。唐詩の題にも「李十二白」とあり、あの有名な詩人の李白は、排行が十二であったことが分かる。一夫多妻制であるから裕福な家は排行が二十や三十を超えることも珍しくない。いずれにせよ、幼少期からの濃密な交流が一族の絆《きずな》を強めるのに役立っていたことは言うまでもない。

第五章　能力と努力

リアリストである孔子は個人の能力差を認めていた。しかし、能力差を絶対視して格差社会を認めていたのではない。有能な者は未熟な者を導き助け、未熟な者は有能な者を手本に努力する。そうした相互協調による社会全体の道徳的向上と社会融和の実現こそが孔子の目標だった。孟子は「人が『出来ない』と言っているのは、出来ないでなく『しない』のだ」と述べているが、孔子も「出来ない」と称して努力「しない」ことを繰り返し諫《いさ》めている。

1　賢愚と優劣

一　弟子の顔回《がんかい》と一日中一緒にいても、喋るのはこっちばかりで、彼は無口で全く反論してこないし、こいつバカじゃないかと思いたくなることがあるほどだったんだよ。ところが、いったん引き下がってからの彼の行動を見ていると、わたしがハッと気づかされるようなことが何度もあるんだ。回はバカどころじゃないさ。人間の賢愚や優劣の基準は弁舌の才なんかでないんだよね、まったくの話。

（為政第二―九）

子曰、吾與回言終日、不違如愚、退而省其私、亦足以發、回也不愚、

子曰わく、吾れ回《かい》と言うこと終日、違《たが》わざること愚《ぐ》なるが如し。退きて其の私《し》を省《み》れば、亦た以て発するに足れり。回や愚ならず。

二　**弟子の子張《しちょう》が「聡明というのはどういうことですか」と訊《き》くので、「そうさな、じわじわっと水がしみ込むように自然と信じたくなってしまうような噂や中傷にも騙《だま》されず、火がついてせっぱ詰まったような虚偽の訴えやチクリを見破って、惑《まど》わされなければ聡明と言えるだろうね。いやいや、それが出来たら聡明を通りこして賢者の部類だろうかね」と答えたよ。**

（顔淵第十二—六）

子張問明、子曰、浸潤之譖、膚受之愬、不行焉、可謂明也已矣、浸潤之譖、膚受之愬、不行焉、可謂遠也已矣、

子張、明《めい》を問う。子曰わく、浸潤《しんじゅん》の譖《そしり》、膚受《ふじゅ》の愬《うったえ》、行なわれざるは、明《めい》と謂うべきのみ。浸潤の譖、膚受の愬、行なわれざるは、遠しと謂うべきのみ。

【解説】

◎「遠」は「遠くを見通す」というのが従来の訳だが、「聡明の一段階上」と解した。

三　人に騙《だま》されやしないか、ウソをつかれやしないかと邪推するわけでもないのに、それでいて相手の欺《あざむ》きやウソを見抜けるような人物を賢者と言うんだろうね。

（憲問第十四―三十三）

子曰、不逆詐、不億不信、抑亦先覺者、是賢乎、

子曰わく、詐《いつわ》りを逆《むか》えず、不信を億《おもんぱか》らず、抑々《そもそも》亦た先《ま》ず覚《さと》る者は、是れ賢か。

四　弟子の子貢《しこう》に戯《たわむ》れに「お前と一歳年上の顔回《がんかい》とはどっちが優秀かね」と訊《き》いたことがあるんだよ。すると子貢が、「わたしなんかとても彼とは比べものになりません。彼は一を聴いて十を知りますが、わたしは二まで知るのがせいぜいです」と答えたんだよ。あの負けん気の子貢にしてはバカにしおらしい返事だからね、「そうだろうな、お前ばかりかわたしだって回にはおよばんもんなァ」と慰《なぐさ》めてやったよ。

（公治長第五―九）

子謂子貢曰、女與回也孰愈、對曰、賜也何敢望回、回也聞一以知十、賜也聞一以知二、子曰、弗如也、吾與女弗如也、

子、子貢に謂《い》いて曰わく、女《なんじ》と回《かい》と孰《いず》れか愈《まさ》れる。対《こた》えて曰わく、賜《し》や、何ぞ敢《あ》えて回を望まん。回や一を聞きて以て十を知る。賜や一を聞きて以て二を知る。子曰わく、如《し》かざるなり。吾れと女《なんじ》と如かざるなり。

五　昔だって、極端に走る者はいたよ。でもね、例えば、昔の熱狂者は開けっ広げだったが、今のはメチャクチャ勝手だ。昔の頑固者は意固地なだけだったが、今のは喧嘩っ早いときている。愚者でさえ、昔は正直な面があったが、今のは愚かな上にコスッ辛《から》いときてるから、始末に負《お》えやしないよ。

（陽貨第十七―十六）

子曰、古者民有三疾、今也或是之亡也、古之狂也肆、今之狂也蕩、古之矜也廉、今之矜也忿戾、古之愚也直、今之愚也詐而已矣、

子曰わく、古《いにし》えは、民に三疾《しつ》あり。今や或るいは是れ亡《な》きなり。古えの狂や肆《し》、今の狂や蕩《とう》。古えの矜《きょう》や廉《れん》、今の矜や忿戾《ふんれい》。古えの愚や直、今の愚や詐《さ》のみ。

六　寄り集まって一日中クッチャベッていながら、天下国家のことには全く触れず、コセついた話題に終始しているような連中は、どうにも救いようがないやね。

（衛霊公第十五―十七）

子曰、羣居終日、言不及義、好行小慧、難矣哉、

子曰わく、群居《ぐんきょ》して終日、言《げん》義に及ばず、好んで小慧《けい》を行なう。難《かた》いかな。

七　食っちゃ寝、食っちゃ寝の生活じゃ困るんだよ。少しは精神的活動をしてくれなけりゃ。まだしもバクチを打つ方が、何もしないよりマシなくらいさ。

（**陽貨第十七**――二十二）

子曰、飽食終日、無所用心、難矣哉、不有博奕者乎、爲之猶賢乎已、

子曰わく、飽《あ》くまで食らいて日を終え、心を用うる所なし、難《かた》いかな。博奕《はくえき》なる者あらずや。これを為《な》すは猶《な》お已《や》むに賢《まさ》れり。

2　才能

一　他人が自分を認めてくれないと嘆く者は多いが、自分が周《まわ》りにいる他人の才能や長所に気づかないことを嘆くのが先だろう。他人の才能に気づく能力を身につけてみなよ、そんな人物を世間が放っておくと思うかね。

（**学而第一**――十六）

子曰、不患人之不己知、患己不知人也、

子曰わく、人の己れを知らざることを患《うれ》えず、人を知らざることを患う。

【解説】

◎学而第一―一の三句目と同じことを述べているが、孔子は決して弟子達が無名で終わることを善しとしていたわけではなかった。弟子達が世間に広く名を知られ、その感化力で孔子がかなえられなかった徳治政治を実行させるというのが大目標だった。そう考えると『論語』は世に出る秘訣をあれこれ教えている実用書と読めなくもない。そこで蛇足を承知で末尾の一節を加えた。

二　**世間に知られていないことをグチらずに、己《おのれ》の才能のないのを気にかけて精進することだよ。**

（**憲問第十四―三十二**）

子曰、不患人之不己知、患己無能也、

子曰わく、人の己を知らざることを患《うれ》えず、己れの能《のう》なきを患《うれ》う。

【解説】

○衛霊公第十五―十九に、ほぼそっくり繰り返されている。

三　**熱狂的な者には一本気な面がある。無知な者には愚直な面がある。頑固者には誠実な面がある。短所の半面には必ず長所の一端があるものだよ。それを持っていない者をわたしは見たことがないね。それぞれの長所を伸ばさなくてはね。**

（泰伯第八―十六）

子曰、狂而不直、侗而不愿、悾悾而不信、吾不知之矣、

子曰わく、狂《きょう》にして直《ちょく》ならず、侗《とう》にして愿《げん》ならず、悾《こう》悾《こう》にして信ならざるは、吾れはこれを知らず。

【解説】

◎「両面とも持ち合わせていない者はどうしようもない」というのが従来の訳だが、それでは狭量に過ぎよう。

3　努力と精進

一　わたしを天才呼ばわりする人がいるが、わたしはそんなのをこれっぱかりも賛辞と思っちゃいないよ。わたしは昔のことを愛好して、ただ一心にコツコツと勉強してきただけさ。

（述而第七―十九）

子曰、我非生而知之者、好古敏以求之者也、

子曰わく、我れは生まれながらにしてこれを知る者に非ず。古えを好み、敏《びん》にして以てこれを求めたる者なり。

二　道徳を解説することや教授することに関しては、わたしも人並みにできるようにはなったが、さて、その実践となると、まだまだ道半《みちなか》ばだよ。

（述而第七—三十二）

子曰、文莫吾猶人也、躬行君子、則吾未之有得也、

子曰わく、文は吾れ猶《な》お人のごとくなること莫《な》からんや。躬《み》、君子を行なうことは、則ち吾れ未だこれを得ること有らざるなり。

【解説】

◎「文」は「学問」というのが従来の訳だが、あえて「道徳」と訳した。

三　わたしが思わず「誰もわたしを知ってくれないなァ」と呟《つぶや》いたら、傍《かたわ》らにいた弟子の子《し》貢《こう》が「どうしてです。先生を知らない者はいませんよ」と言うから、「名が知られていることと、理解されていることとは別さ。天を怨《うら》まず、人を咎《とが》めず、コツコツ精進して学問を究《きわ》めてきたわたしの努力を理解して下さるのは天だけだろうよ」と説明したよ。

（憲問第十四—三十七）

子曰、莫我知也夫、子貢曰、何爲其莫知子也、子曰、不怨天、不尤人、下學而上達、知

子曰わく、我れを知ること莫《な》きかな。子貢曰わく、何《なん》爲《す》れぞ其れ子を知ること莫《な》からん。子曰わく、天を怨みず、人を尤《とが》めず、下学《かがく》して上達す。我れを知る者は

我者其天乎、　　　　其れ天か。

【解説】

◎「知」を「理解」と「知られる」とに訳し分けないと、ただの嘆き節になってしまうだろう。

四　**何によらず、ものごとを成就するというのは、山を築くようなものだ。最後の一積みを残して未完で終わったとすれば、それは自分がしなかったためだろう。あるいは、窪地《くぼち》を平らにするようなものかな。最初の一シャベル分が埋まったとすれば、それは自分がやったからだ。すべては当人のやる気次第なんだぞ。**

（**子罕第九―十九**）

子曰、譬如爲山、未成一簣、止吾止也、譬如平地、雖覆一簣、進吾往也、

子曰わく、譬《たと》えば山を為《つく》るが如し。未だ一簣《き》を成さざるも、止《や》むは吾が止むなり。譬えば地を平らかにするが如し。一簣を覆《ふく》すと雖ども、進むは吾が往くなり。

五　**苗《なえ》のままで穂を出さないものもある。せっかく穂を出しても実をつけないものもある。それを分けるのは努力と精進だよ。**

（**子罕第九―二十二**）

子曰、苗而不秀者有矣夫、秀而不實者有矣夫、

子曰わく、苗《なえ》にして秀《ひい》でざる者あり。秀でて実《みの》らざる者あり。

六　寒気がやってきて初めて松や柏が緑のまま萎《しぼ》まずに残っているのが分かって感動するものだが、人間も日頃からイザという時に備えて怠《おこた》りなく励むことが肝心だよ。

（子罕第九―二十九）

子曰、歳寒、然後知松柏之後彫也、

子曰わく、歳《とし》寒くして、然る後に松柏《はく》の彫《しぼ》むに後《おく》るるを知る。

【解説】

○柏はコノテカシワ。動植物の場合、同じ漢字名でも日・中では種類の異なるものがあるので要注意。「鮎子」という名前があるが、「鮎」は中国ではナマズである。

七　自分よりすぐれた人物を見たら、ひがんだりせずに、自分もああなろうと発憤《はっぷん》することだ。逆に、劣った者を見た場合には、侮《あなど》らずに、自分にも同じ欠陥がありはしないかと反省してみることだよ。

（里仁第四―十七）

子曰、見賢思齊焉、見不賢而内自省也、

子曰わく、賢《けん》を見ては斉《ひと》しからんことを思い、不賢《ふけん》を見ては内に自ら省《かえり》みる。

八　弟子の子路《しろ》とこんな問答をしたよ。

「君子とはどういう人物のことですか」

「自己の修養に励《はげ》む独立自尊の人だ」

「自分のためだけの人物ですか」

「自己の修養に励み、周囲の人々を安らかにする人だ」

「周囲の人のためだけの人物ですか」

「自己の修養に励み、万人を安らかにする人だ。これは、聖王と讃《たた》えられた堯《ぎょう》や舜《しゅん》様たちさえご苦労なされた点なんだぞ」

（憲問第十四—四十四）

子路問君子、子曰、脩己以敬、曰如斯而已乎、曰脩己以安人、曰如斯而已乎、曰脩己以安百姓、脩己以安百姓、堯舜其猶

子路、君子を問う。子曰わく、己れを脩《おさ》めて以て敬す。曰わく、斯《か》くの如きのみか。曰わく、己れを脩めて以て人を安んず。曰わく、斯くの如きのみか。曰わく、己れを脩めて以て百姓《せい》を安んず。己れを脩めて以て百

病諸、　　　　　　　　　　姓を安んずるは、堯《ぎょう》・舜《しゅん》も其れ猶《な》お諸《こ》れを病《や》めり。

九　弟子の顔回《がんかい》が生きていてくれたらなァと思うことがたびたびあるよ。わたしは、彼が日々進歩していく姿を見たが、停滞している姿を一度も見たことがなかったものねェ。

（子罕第九—二十一）

子謂顔淵曰、惜乎、吾見其進也、未見其止也、　　子、顔淵を謂《い》いて曰わく、惜《お》しいかな。吾れ其の進むを見るも、未だ其の止《や》むを見ざるなり。

十　講義の間、少しもダレた様子を見せなかったのは、弟子の顔回《がんかい》くらいのものだったなァ。

（子罕第九—二十）

子曰、語之而不惰者、其回也與、　　子曰わく、これに語《つ》げて惰《おこた》らざる者は、其れ回なるか。

【解説】

○「語」は「教訓を暗唱してきかせてやる」との貝塚茂樹氏の説に由った。

十一　顔回《がんかい》があれもこれもとあまりに厳しく自分を律《りつ》しようとするものだから、わたしは見

るに見かねて、「回よ、三カ月間、慈愛の精神に違《たが》わないことだけを心掛けるといいよ。それができれば、他の徳目は自然と身に備《そな》わるから」とアドバイスしてやったことがあるよ。

（雍也第六—七）

子曰、回也、其心三月不違仁、其餘則日月至焉而已矣、

子曰わく、回《かい》や其の心三月《さんがつ》仁に違《たが》わざれ。其の余は則ち日月《じつげつ》に至るのみ。

【解説】

◎顔回はあまりに真面目すぎて、孔子には痛々しく思えたのではなかろうか。そうした生徒が今でも稀にいるものだ。

4　言い訳

一　弟子の冉有《ぜんゆう》が、「先生のご説には大賛成ですが、それを実行するのは、わたしには力不足で出来ません」と言うから、「『出来ない』というのは途中までやって、ぶっ倒れた者が言うセリフだよ。お前のは、『出来ない』でなく、『やらない』の言い訳じゃないか。自分で自分をダメ人間あつかいしてるのと同じだぞ」と諭《さと》してやったよ。

冉求曰、非不説子之道、力不足也、子曰、力不足者、中道而廢、今女畫、

冉求《ぜんきゅう》曰わく、子《し》の道を説《よろこ》ばざるに非ず。力足《た》らざればなり。子曰わく、力足らざる者は中道にして廢す。今女《なんじ》は画《かぎ》れり。

（**雍也第六―十二**）

【解説】

○八佾第三―六の関連と読める。

二　わたしがね、「自分が聖人や人格者になれるかどうかは分からない。だが、そうなろうとの努力を惜《お》しまず、そうなるための方法を飽《あ》きずに人に教え続けている、その二点に関しては些《いささ》か自負《じふ》できるね」と言ったら、弟子の公西華《こうせいか》が、「それこそ、われわれ弟子の真似のできない点です」と答えるじゃないか。そんなつもりで言ったんじゃないんだよ、わたしの真似をしてくれなけりゃ困るんだよね。

（**述而第七―三十三**）

子曰、若聖與仁、則吾豈敢、抑爲之不厭、誨人不倦、則可謂云爾已矣、公西華曰、正唯

子曰わく、聖と仁との若《ごと》きは、則ち吾れ豈《あ》に敢《あ》えてせんや。抑々《そもそも》これを為《な》して厭《いと》わず、人を誨《おし》えて倦《う》まずとは、則ち謂うべきのみ。公西華《こうせいか》曰わく、正《まさ》に唯《た》だ弟子《ていし》

弟子不能學也、　学ぶこと能《あた》わざるなり。

【解説】

○公西華は孔子より四十二歳若い。姓は公西、名は赤、字は子華。

◎孔子の心構えと、それに対する弟子の賛嘆というのが従来の訳だが、前章句の同工異曲と解した。

三　**「風に吹かれて桜が舞うよ。飛んで行きたや、あなたのもとに。なれどあまりに遠すぎる」という俗謡《ぞくよう》があるけど、本当に恋しかったら「遠すぎる」なんて言いっこないだろう。弟子たちの使うへタな言い訳と同じだね。**

（**子罕第九**―三十一）

唐棣之華、偏其反而、豈不爾思、室是遠而、子曰、未之思也、夫何遠之有哉、

唐棣《とうてい》の華《はな》、偏《へん》として其れ反せり。豈《あ》に爾《なんじ》を思わざらんや、室是《こ》れ遠ければなり。子曰わく、未だこれを思わざるなり。夫《そ》れ何の遠きことかこれ有らん。

【解説】

◎弟子への教訓と解して蛇足を加えて訳した。

豆知識4　年齢

昔の人は早死にだと思われがちだが、男女を問わずけっこう長寿の人も多い。孔子は数《かぞ》え齢《どし》で七十四歳、孟子は八十三歳ないし八十五歳の長寿に恵まれ、二人とも高齢になっても信じられないほどの長距離旅行をこなしている。孔子は大変な長身で、戦士として十分に務まる強靭《きょうじん》な肉体の持ち主だった。これは、ソクラテスが歴戦の勇士であり、その弟子のプラトンが本名のアリストクレスよりも「胸巾が厚い」という意味のプラトンという綽名《あだな》で呼ばれていたのと似ている。

『論語』は年齢の別称の出典ともなっているが、文字遊びによる年齢の別称のほとんどは日本人が考案した和製漢語であり、古典漢文には登場しないので要注意である。その代表的なものを幾つかあげておこう。

喜寿＝喜の草書体が七十七に見えるところから七十七歳。
米寿＝米という字を分解すると八十八となるから八十八歳。
卒寿＝卒の略字が九十に見えるから九十歳。
白寿＝百から一を取ると白という字になるから九十九歳。

第六章　社会参加

孔子にとっては、学問も修養も世の中を変えるためのものであり、孔子は、弟子たちが社会参加することはもとより立身出世も積極的に推奨している。孔子自身もいささか焦り気味でないかと思えるほど自身の能力発揮の場を探し求めている。そうした点では、孔子の塾は一種の就職斡旋場《あっせん》（今日のハローワーク）的状況を呈していたと言えそうだ。とはいえ、あくまでも世直しが大前提であり、節を曲げての社会参加や出世は厳しく諫《いさ》められている。

1　意欲

一　**弟子の子貢《しこう》が、「ここに素晴らしい宝玉があるとします。先生は箱に入れてしまい込んでおきますか、それとも買い手をさがして売りますか」とナゾを掛けてきたから、「売るとも、売るともさ。わたしはよい買い手を首を長くして待っているんだ」と答えてやったよ。**

（子罕第九—十三）

子貢曰、有美玉於斯、韞匵而　　子貢曰わく、斯《ここ》に美玉あり、匵《ひつ》に韞《おさ》めて諸《こ》れを蔵せん

藏諸、求善賈而沽諸、子曰、沽之哉、沽之哉、我待賈者也、

か、善賈《ぜんこ》を求めて諸れを沽《う》らんか。子曰わく、これを沽らんかな、これを沽らんかな。我れは賈を待つ者なり。

二　**楚《そ》の国の葉県《しょう》の長官が、弟子の子路《しろ》にわたしのことを訊《き》いたそうだが、子路は何とも返事をしなかったっていうんだ。だからね、「何で黙っていたんだい。その人となりは、学問に発憤《はっぷん》して食事を忘れ、向上を楽しみとして憂《うれ》いを忘れ、老《お》いが忍び寄っていることさえ気づかないほどですと、どうして言ってくれなかったんだい」と言ってやったよ。**

（述而第七―十八）

葉公問孔子於子路、子路不對、子曰、女奚不曰、其爲人也、發憤忘食、樂以忘憂、不知老之將至也云爾、

葉公《しょうこう》、孔子を子路に問う。子路対《こた》えず。子曰わく、女《なんじ》奚《な》んぞ曰わざる、其の人と為《な》りや、憤《いきどお》りを発して食を忘れ、楽しみて以て憂いを忘れ、老《お》いの将に至らんとするを知らざるのみと。

三　**晋国の胇肸《ひっきつ》がわたしを招いた時に、わたしは招きに応じようとしたんだが、弟子の子路《しろ》とこんな問答をして、よしたことがあるよ。**

「先生、わたしは以前に先生から『自ら進んで不善をなすような者のそばには君子は近づかないものだ』と教わりました。胇肸《ひつきつ》は中牟《ちゆうぼう》の地を拠点に謀反《むほん》を起こしています。そんな奴《やつ》の所へ先生はどうして出かけようとなさるのですか」

「そう。確かに以前そう教えたのを覚えているよ。しかし、こういう諺《ことわざ》もあるだろう。『ホントに堅《かた》いは、いくら研《と》いでも薄くはならぬ。ホントに白いは泥にも染まらぬ』ってね。このわたしが胇肸《ひつきつ》ごときに丸め込まれると思うかい。わたしはね、ニガウリにはなりたくないんだよ。ぶらさがったまま人に食べられもせずに一生を終えるわけにはいかないんだよ」

（陽貨第十七―七）

胇肸召、子欲往、子路曰、昔者由也聞諸夫子、曰、親於其身爲不善者、君子不入也、胇肸以中牟畔、子之往也如之何、子曰、然、有是言也、曰不曰堅乎、磨而不磷、不曰白乎、涅而不緇、吾豈匏瓜也哉、焉

胇肸《ひつきつ》、召《まね》く。子往かんと欲す。子路曰わく、昔者由《むかしゆう》や諸《こ》れを夫子に聞けり、曰わく、親《みずか》ら其の身に於いて不善を為す者は、君子は入《い》らざるなりと。胇肸中牟《ちゆうぼう》を以て畔《そむ》く。子の往くや、これを如何《いかん》。子曰わく、然り。是《こ》の言有るなり。堅しと曰《い》わざらんや、磨《ま》すれども磷《うすろ》がず。白しと曰《い》わざらんや、涅《でつ》すれども緇《くろ》まず。吾れ豈《あ》に匏瓜《ほうか》ならんや。焉《いずく》んぞ能く繫《かか》りて食らわれざらん。

能繋而不食、

四　ああ、どこぞの君主が、わたしに政治を任《まか》せてくれないかなぁ。たった一年でもいい。もしも三年も任せてくれたなら、吃驚《びつくり》するほど立派な国にしてみせるんだがなァ。

（子路第十三―十）

子曰、苟有用我者、期月而已可也、三年有成、

子曰わく、苟《いやし》くも我れを用うる者あらば、期月《きげつ》のみにして可《か》ならん。三年にして成すこと有らん。

【解説】

○司馬遷の『史記―孔子世家第十七』によると、衛の霊公に用いられなかった際の孔子の慨嘆であるという。

五　隠賢者《いんけんじゃ》は、世間から隠れて名を表わさないようにし、一処不住《いっしょふじゅう》で土地や家さえ持たない。女色《じょしょく》を避けて家族も持たず、不立文字《ふりゅうもんじ》といって言語表現すら否定する。歴史上こうした道を選択した著名人が七人いる。しかし、彼等とわたしとでは歩む道が異《ちが》うんだよね。

（憲問第十四―三十九）

子曰、賢者避世、其次避地、

子曰わく、賢者は世《よ》を避《さ》く。其の次ぎは地を避く。其

其次避色、其次避言、子曰、作者七人矣、

の次ぎは色を避く。其の次ぎは言を避く。子曰わく、作《な》す者七人。

【解説】

◎様々な訳があるが、孔子が道家的な生き方を批判したものだろう。

2　就職

一　**わたしが弟子の漆雕開《しっちょうかい》に仕官の口を世話してやったことがあるんだよ。そうしたら彼は、「わたしは学問未熟で、まだ人に仕《つか》えるには力不足ですから」と断ったんだよ。ああいう篤実《とくじつ》な弟子を持てたというのは教師冥利《みょうり》に尽きるね。**

（公冶長第五—六）

子使漆雕開仕、對曰、吾斯之未能信、子説、

子、漆雕開《しっちょうかい》をして仕えしむ。対《こた》えて曰わく、吾れ斯《こ》れをこれ未だ信ずること能《あた》わず。子説《よろこ》ぶ。

【解説】

○漆雕開は孔子より十一歳若い。姓は漆雕、名は啓、字は子開。

二　家老の季氏《きし》が、弟子の閔子騫《びんしけん》を費という町の代官にしようとしたことがあるんだよ。そうしたら、閔子騫がわたしの所にやってきてね、「どうか、上手くお断り下さい。もう一度使者が来たら、わたしは汶《ぶん》河を越えて亡命する覚悟です」って言うんだよ。季氏の日頃の行いが悪いから仕えたくなかったのさ。表面は穏やかだが骨のあるやつなんだよ、閔子《びんし》騫《けん》は。

（雍也第六—九）

季氏使閔子騫爲費宰、閔子騫曰、善爲我辭焉、如有復我者、則吾必在汶上矣、

季氏、閔子騫《びんしけん》をして費《ひ》の宰たらしむ。閔子騫曰わく、善く我が為めに辞せよ。如《も》し我れを復《ま》たする者あらば、則ち吾れは必らず汶《ぶん》の上《ほとり》に在らん。

【解説】

○汶《ぶん》水は魯と斉の国境を流れている河。

◎閔子騫が直接季氏の使者に断ったとするのが従来の訳だが、孔子の頭越しに就職を断るとも思えないので、閔子騫が孔子に泣きついてきたと解した。

三　最近の弟子は入門して三年もすると、どこか就職口をさがして下さいと言ってくる。弟子の漆雕開《しっちょうかい》や閔子騫《びんしけん》のような者はホントに稀《まれ》になってしまったよ。

子曰、三年學不至於穀、不易得也已、
子曰わく、三年学びて穀《こく》に至らざるは、得やすからざるのみ。
（泰伯第八―十二）

【解説】
◎前の二つの章句の関連と解して蛇足を加えて訳した。

3　人に仕《つか》えるということ

一　**弟子の子路《しろ》が衛《えい》の国に仕《つか》えることになった時、「君主に仕えるにはどうしたらよいでしょうか」と訊《き》きに来たので、「君主を欺《あざむ》かないようにすることだ。だが、イザという時には逆《さか》らってでも忠告することだよ」と教えてやったよ。**

子路問事君、子曰、勿欺也、而犯之、
子路、君に事《つか》えんことを問う。子曰わく、欺《あざむ》くこと勿《な》かれ。而してこれを犯《おか》せ。
（憲問第十四―二十三）

二　**立派な上司には仕《つか》えやすいが、喜ばせるのは難しいよ。喜ばせ方が道理にかなっていな**

いと喜んでくれないからね。でも、適材適所で人を使うから仕えやすいのさ。それに引き替え、つまらん上司は仕えにくいが、喜ばせるのは簡単だ。ゴマスリやオベッカでも喜ぶからね。ところが、人使いに関しては、部下を万能ロボットのように思い込んでいるから、こき使われたり不得手なことを無理やりさせられたり、たまったもんじゃないよ。

（子路第十三―二十五）

子曰、君子易事而難説也、説之不以道、不説也、及其使人也、器之、小人難事而易説也、説之雖不以道、説也、及其使人也、求備焉、

子曰わく、君子は事《つか》え易《やす》くして説《よろこ》ばしめ難《がた》し。これを説《よろこ》ばしむるに道を以てせざれば、説ばざるなり。其の人を使うに及びては、これを器《うつわ》にす。小人《しょうじん》は事《つか》え難《がた》くして説ばしめ易《やす》し。これを説ばしむるに道を以てせずと雖ども、説ぶなり。其の人を使うに及びては、備《そな》わらんことを求む。

三　**上司に仕《つか》えて犯しやすい過ちが三種あるな。言うべき時でないのに言うのが悪乗り。言うべき時なのに言わないのが乗り遅れ。上司の反応を無視して発言するのが暴走だ。**

（季氏第十六―六）

孔子曰、侍於君子有三愆、言

孔子曰わく、君子に侍《じ》するに三愆《けん》あり。言《げん》未だこれに

未及之而言、謂之躁、言及之而不言、謂之隠、未見顔色而言、謂之瞽、

及ばずして言う、これを躁《そう》と謂う。言これに及びて言わざる、これを隠と謂う。未だ顔色を見ずして言う、これを瞽《こ》と謂う。

四　以前、定公様《ていこう》が「君主が家来を使い、家来が君主に仕《つか》えるにはどうしたらよいものか」とお訊《たず》ねになったことがあるんだよ。そこで、「上の者が下の者を使う時には、間に礼儀作法をおきます。下の者が上の者に仕える時には、間に道徳をおきます」とお答えしたよ。そうすれば、上の者は空威張りをせずにすむし、下の者は上役の悪事にイヤイヤ荷担《かたん》させられずにすむだろう。

（八佾第三―十九）

定公問、君使臣、臣事君、如之何、孔子對曰、君使臣以禮、臣事君以忠、

定公問う、君、臣を使い、臣、君に事《つか》うること、これを如何《いかん》。孔子対《こた》えて曰わく、君、臣を使うに礼を以てし、臣、君に事うるに忠を以てす。

【解説】

○定公は、哀公の前の魯の君主であり、孔子は重く用いられた。

◎「忠」は君主や仕事に対する忠誠というのが従来の訳だが、道徳に対する忠誠と解した。

五　主君や上司に礼儀正しく接すると、世間では「あいつはゴマをすってやがる」と陰口を叩く。口さがない連中はどこにでもいるものだから、気にしないようにすることだね。

（八佾第三―十八）

子曰、事君盡禮、人以爲諂也、　子曰わく、君に事《つか》うるに礼を尽《つ》くせば、人以て諂《へつら》うと為《な》す。

【解説】

○陰口に悩む者も、孔子も陰口を叩かれていたと思えば少しは気が軽くなるだろう。

4　同僚

一　共に学ぶことができる人物を得られても、同じ目標へ進む人物を得ることは難しい。同じ目標へ進む人物を得られたとしても、同じ決断をする人物を得ることは難しい。同じ決断をする人物を得られたとしても、共に実行する人物を得るとなると、こりゃもう至難《しなん》の業《わざ》だよ。

（子罕第九―三十一）

子曰、可與共學、未可與適道、可與適道、未可與立、可與立、未可與權、

子曰わく、与《とも》に共に学ぶべきも、未だ与《とも》に道に適《ゆ》くべからず。与に道に適くべきも、未だ与に立つべからず。与に立つべきも、未だ与に権《はか》るべからず。

二　**品性下劣な者とは共に仕事はできないね。出世できない間はグチばかりこぼすし、いったん出世をすると、地位を失うまいと何をしでかすか分かりゃしないんだから。**

（陽貨第十七—十五）

子曰、鄙夫可與事君也與哉、其未得之也、患得之、既得之、患失之、苟患失之、無所不至矣、

子曰わく、鄙《ひ》夫《ふ》は与《とも》に君に事《つか》うべけんや。其の未だこれを得ざれば、これを得んことを患《うれ》え、既《すで》にこれを得れば、これを失なわんことを患う。苟《いやし》くもこれを失なわんことを患うれば、至らざる所なし。

5　部下

一　**弟子の子游《しゆう》が武城《ぶじょう》という重要地の代官になったんだが、彼は文学には明るいが政治はど**

うか、ちょっと心配になってね、「よい部下を得られたかい」と訊《き》いたことがあるんだよ。すると、「澹台滅明《たんだいめつめい》という人物を得ました。彼は道を歩く時でも近道をしないくらい正道を歩みますし、公用がなければ決してわたしの部屋にやって来ません」という返事だった。まあ、それを聞いて一安心した次第だよ。

（雍也第六―十四）

子游爲武城宰、子曰、女得人焉耳乎、曰、有澹臺滅明者、行不由徑、非公事、未嘗至於偃之室也、

子游、武城の宰《さい》たり。子曰わく、女《なんじ》、人を得たりや。曰わく、澹台《たんだい》滅明なる者あり、行くに径《こみち》に由らず、公事に非ざれば未だ嘗《かつ》て偃《えん》の室に至らざるなり。

【解説】

○澹台滅明は、姓は澹台、名は滅明。孔子より三十九歳年少の人物。司馬遷の『史記―仲尼弟子列伝七』によると孔子の弟子であったという。

二　いやあ、まったく見上げたものだよ、聖王の舜《しゅん》や禹《う》王の政治のなされ方は。有能な部下を適材適所に配置して、自らは表だっては何もなさらなかったんだから。

（泰伯第八―十八）

子曰、巍巍乎、舜禹之有天下　子曰わく、巍巍《ぎぎ》たるかな、舜《しゅん》・禹《う》の天下を有《たも》てるや。
也、而不與焉、　而して与《あずか》らず。

【解説】

○衛霊公第十五—五にも、ほぼ同様の賛辞がある。

三　**わが魯国の始祖である周公様は、ご子息に次のように教訓されていらっしゃる。「一つ、人の上に立つ者は身内の者を見捨ててはならない。二つ、部下が意見を採用されないことを怨みがましく思うような状況を作ってはならない。三つ、よほどの過失がない限り昔なじみを切り捨ててはならない。四つ、人間には得手不得手があるから、部下を使う時には一人に万能を求めてはならない」と。一々まったくごもっともだよねェ。**

（微子第十八—十）

周公謂魯公曰、君子不施其親、不使大臣怨乎不以、故舊無大故、則不棄也、無求備於一人、周公、魯公に謂《い》いて曰わく、君子は其の親《しん》を施《す》てず、大臣をして以《もち》いざるに怨みしめず、故旧大故《こきゅうたいこ》なければ、則ち棄てず。備わるを一人に求むること無かれ。

【解説】

○周公は周王朝を建てた武王の弟、名は旦。「吐《と》哺《ほ》捉《そく》髪《はつ》」の故事成語で知られる賢人であり、孔子が敬愛してやまなかった人物。

6　立身出世

一　弟子の子張《しちょう》が「どうしたら高給取りになれましょうか」と訊《き》くから、「周《まわ》りの人の行動を巾《はば》ひろく観察して、失敗した言動を取り除き、成功した言動を手本にして発言したり行動していれば、上役から文句も出ず、仕事の失敗もなく、自然と出世して高給なんかわけなく取れるようになるさ」と教えてやったよ。

（為政第二―十八）

子張學干祿、子曰、多聞闕疑、愼言其餘、則寡尤、多見闕殆、愼行其餘、則寡悔、言寡尤行寡悔、祿在其中矣、

子張《しちょう》、禄《ろく》を干《もと》めんことを学ぶ。子曰わく、多く聞きて疑わしきを闕《か》き、慎しみて其の余を言えば、則ち尤寡《とがめすく》なし。多く見て殆《あや》うきを闕き、慎しみて其の余を行なえば、則ち悔《くい》寡なし。言《げん》に尤《とがめ》寡なく行《こう》に悔《くい》寡なければ、禄《ろく》は其の中《うち》に在り。

【解説】

○孔子が弟子の現世的欲望を否定していない点は留意すべきだろう。単なる道徳の先生ではなかったのだ。

二　就職したら、仕事を第一にして、給料や地位はその結果ついてくるものと考えるといいな。

子曰、事君敬其事而後其食、

子曰わく、君に事《つか》えては、其の事を敬《けい》して其の食を後《あと》にす。

（衛霊公第十五―三十八）

三　出世しないのをグチる前に、出世するに足る実力が備わっていないことに気づくべきだね。世間が自分を認めてくれないからとクサらずに、ようし、世間が注目することをやってやろうと発憤《はつぷん》するのが先だよ。

子曰、不患無位、患所以立、不患莫己知、求爲可知也、

子曰わく、位なきことを患《うれ》えず、立つ所以《ゆえん》を患う。己を知ること莫《な》きを患えず、知らるべきことを為すを求めよ。

（里仁第四―十四）

四　世間に名を知られることが目的でないにしてもだ、生涯まったく名を知られずに終わるのは無念だと思うくらいでなくてはダメだよ。

（衛霊公第十五―二十）

子曰、君子疾沒世而名不稱焉、

子曰わく、君子は世《よ》を沒《お》えて名の称せられざることを疾《にく》む。

五　弟子の子張《しちょう》が「どうすれば達人役人になれましょうか」と訊《き》くから、「何だね、お前のいう達人というのは」と訊いたんだよ。そうしたら、「君主に仕《つか》えても家老家に仕えても評判がいい者です」と言うから、「それは剽軽者《ひょうきんもの》であって、達人じゃないだろう。達人というのは、質実剛健で、正義を愛し、言葉や表情で相手の真意を読み取り、深謀遠慮で謙虚な者をいうんだぞ。だから、どこに仕えようが達人と呼ばれるんだ。一方、剽軽者《ひょうきんもの》は、表面上は人格円満らしく見えても、内実は全く違って、ヘラヘラしているだけだが、自分がヘラヘラしていることにすら気づかない。だから、どこに仕えても評判がいいだけのことさ」と言ってやったよ。

（顔淵第十二―二十）

子張問、士何如斯可謂之達矣、子曰、何哉、爾所謂達者、子張對曰、在邦必聞、在家必聞子曰、是聞也、非達也、夫達者、質直而好義、察言而觀色、慮以下人、在邦必達、在家必達、夫聞者色取仁而行違、居之不疑、在邦必聞、在家必聞、

子張問う、士何如《いか》なれば斯《こ》れを達《たつ》と謂《い》うべき。子曰わく、何ぞや、爾《なんじ》の所謂《いわゆる》達とは。子張対えて曰わく、邦《くに》に在りても必らず聞こえ、家に在りても必らず聞こゆ。子曰わく、是れ聞《ぶん》なり、達に非ざるなり。夫れ達なる者は、質直《しっちょく》にして義を好み、言を察して色を観《み》、慮《はか》って以て人に下《くだ》る。邦に在りても必らず達し、家に在りても必らず達す。夫れ聞なる者は、色に仁を取りて行ないは違《たが》い、これに居りて疑わず。邦に在りても必らず聞こえ、家に在りても必らず聞こゆ。

7　指導者の資格

一　指導者に必要なのはどっしりとした心構えだ。それがないと人を惹《ひ》きつけるパワーは生まれない。いろいろと学んで柔軟な思考力を身につけることも大切だ。しかし、なんといっても誠実でウソをつかないことに尽きるね。「そんな馬鹿正直だと損しちゃう」などと劣った考えを吹き込む者とはつき合わないようにすることだ。どうだね、耳が痛くないか

な。**自分が誤っていると気づいたら、グズグズ言わずにすぐに改めるのが一番だぞ。**

（学而第一—八）

子曰、君子不重則不威、學則不固、主忠信、無友不如己者、過則勿憚改、

子曰わく、君子《くんし》、重からざれば則ち威《い》あらず、学べば則ち固《こ》ならず。忠信を主とし、己《おの》れに如《し》かざる者を友とすること無かれ。過《あやま》てば則ち改むるに憚《はばか》ること勿《な》かれ。

【解説】

○「主忠信」以下は、子罕第九—二十五にそっくり繰り返されている。孔子お得意の言葉だったろう。

◎「無友不如己者」は「自分より劣った者を友とするな」というのが従来の訳だが、それでは誰とも友人になれなくなる。優れた人物と友人になろうとしても「お前は私より劣っているから友人にはしないよ」と断られてしまう。「自分より劣った者」とは、他人と解釈するよりも、自分の足を引っ張ろうとする内面の自分自身と解すべきだ。

二　**人の指導者たる者は、飽食を求めたり豪邸に住もうなどと考えないものさ。仕事熱心で、言葉に重みがあり、しかも自分より優れた人の意見を聞いて反省を怠《おこた》らず、向上心を失わ**

ない。いいかね、そういう実践家こそを本当の学問好きと言うんだよ。

（**学而第一—十四**）

子曰、君子食無求飽、居無求安、敏於事而愼於言、就有道而正焉、可謂好學也已矣、

子曰わく、君子は食飽《しょくあ》くことを求むる無く、居安《きょやす》きことを求むる無し。事に敏《びん》にして言《げん》に慎しみ、有道《ゆうどう》に就《つ》きて正す。学を好むと謂うべきのみ。

三　**指導者というものはスペシャリストであるよりもジェネラリストであることを心掛けるといいだろうな。**

（**為政第二—十二**）

子曰、君子不器、

子曰わく、君子は器《うつわ》ならず。

【解説】

○名選手は必ずしも名コーチにあらずというが、指導者は適材適所の配分ができなければならないから、浅くても多方面に通じているのがよい。ならば、深くて多芸がさらによいかというと、そうした天才肌はやはり名指導者にはなれないようだ。孔子は自らの多芸を恥じている。いずれにせよ、小才のきいた者ではダメだとの意味。

四　ホンモノの指導者は広く公平に人を見て、えこひいきをしないものだ。ニセモノはえこひいきばかりして、公平に人を見られないね。

（為政第二—十四）

子曰、君子周而不比、小人比而不周、

子曰わく、君子は周《しゅう》して比《ひ》せず、小人《しょうじん》は比して周せず。

【解説】

◎「君子は広く親しみあうが、おもねらない」と交際論として読むのが従来の訳だが、為政第二—十二章以降の三つの章句は指導者論として読むべきだろう。

五　指導者たる者に必要なのは、さわやかな弁舌よりも敏速な行動力だよ。

（里仁第四—二十四）

子曰、君子欲訥於言、而敏於行、

子曰わく、君子は言《げん》に訥《とつ》にして、行《おこない》に敏《びん》ならんことを欲す。

六　弁舌自慢の弟子の子貢《しこう》が「指導者とはどういう者のことですか」と訊《き》いたので、「まず

自分の主張を実行して見せて、能書きはその後で言う者のことだよ」と答えてやったら目をシロクロさせていたよ。

（**為政第二―十三**）

子貢問君子、子曰、先行其言、而後從之、

子貢《しこう》、君子を問う。子曰わく、先ず其の言を行ない、而して後《のち》にこれに従う。

【解説】

○先進第十一―三に「言語は宰我・子貢」と書かれている子貢が、孔子が「弁舌のさわやかなこと」を指導者の条件にあげることを期待しての質問だったろう。

七　自分の力でなく天命によってなれたという謙虚さがなければ、人の指導者は務まらないものだよ。礼儀正しくなければ、指導者の立場を維持できないし、次に、相手の言葉を的確に判断できなければ、人の指導なんかできるわきゃないさ。

（**堯曰第二十―五**）

孔子曰、不知命、無以爲君子也、不知禮、無以立也、不知言、無以知人也、

孔子曰わく、命《めい》を知らざれば、以て君子たること無きなり。礼を知らざれば、以て立つこと無きなり。言を知らざれば、以て人を知ること無きなり。

【解説】

◎人格論というのが従来の訳だが指導者論と解した。

8 信念と自負

一　わたしが五十七歳の時のことだったが、匡《きょう》の地で住民の誤解を受けて弟子たちと共に兵隊に取り囲まれたことがあったんだよ。その時わたしはね、「周《しゅう》の文王様は亡くなられたが、その文化はこのわたしが継承している。天が文王様の文化を滅ぼすつもりなら、はるか後代のわたしに文化が継承されるわけがない。天がこの文化を滅ぼすつもりがないならば、それを最もよく継承しているこのわたしを匡《きょう》の兵隊ごときが亡《な》きものに出来るわけがないだろう」と公言したんだ。あれも、齢《よわい》五十歳にして天命を知っていればのことだったろうかね。

（子罕第九—五）

子畏於匡、曰、文王既沒、文不在茲乎、天之將喪斯文也、後死者不得與於斯文也、天之

子、匡《きょう》に畏《おそ》る。曰わく、文王既に沒したれども、文茲《ここ》に在《あ》らずや。天の将《まさ》に斯《こ》の文を喪《ほろ》ぼさんとするや、後《こう》死《し》の者、斯の文に与《あず》かることを得ざるなり。天の未《いま》だ

未喪斯文也、匡人其如予何、　斯の文を喪ぼさざるや、匡人《きょうひと》其れ予《わ》れを如何《いかん》せん。

二　わたしが六十一歳の時のことだったが、宋の国に滞在していた折りに、宋の軍務大臣の桓魋《かんたい》がわたしを殺そうとしたことがあるんだよ。弟子たちはパニックになったが、わたしは「天がこのわたしに正しい政治を広めさせようと命じているのに、桓魋ごときが天の意思に逆らってわたしを殺せるもんかね」と弟子たちを落ち着かせたんだよ。何事かを成そうと思ったら、狂信でなく、そのくらいの確乎《かっこ》たる信念を持たねばダメだぞ。

（述而第七―二十二）

子曰、天生徳於予、桓魋其如予何、　子曰わく、天、徳を予《わ》れに生ぜり。桓魋《かんたい》其れ予れを如《い》何《かん》せん。

三　どれほどの大軍に護《まも》られている大将でも奪い取ろうと思えば奪い取れないことはないよ。しかしだ、人間の意志は、たった一人の者の意志であろうと、それを外から大勢で奪い取ろうとしたって奪い取れるもんじゃないさ。人間の意志というのは、それほど絶大な力を秘めたものなんだよ。

（子罕第九―二十六）

子曰、三軍可奪帥也、匹夫不可奪志也、　子曰わく、三軍も帥《すい》を奪うべきなり。匹夫《ひっぷ》も志しを奪うべからざるなり。

四　わたしはね、朝、わが国が慈愛と寛容の政治を採用すると聞いたなら、昼間にそれを確かめ、その日の夕方に死んだって悔《く》いないね。

（里仁第四―八）

子曰、朝聞道、夕死可矣、　子曰わく、朝《あした》に道を聞かば、夕べに死すとも可《か》なり。

【解説】

◎孔子のいう「道」とは、抽象的な「真理」ではなく、慈愛と寛容の政治を意味している。

豆知識5　色彩

孔子は衣服の色について、なかなかうるさかったようだが、古代の中国を知る上で色彩は重要である。青・赤（朱）・白・黒（玄）・黄が基本でこれを「五色」あるいは「五彩」と呼ぶ。黄色は天子だけに許された高貴な色で、日本の金色に当たる。他の色は、春夏秋冬や東西南北に対応する。日本でも「青春」「朱夏」「白秋」「玄冬」といった語でお馴染みだろう。日本の国技である相撲の土俵屋根にも四色の房が下がっている。

四方の守り神である獣神も、東が青龍、西が白虎、南が朱雀、北が玄武、自然を形成する五要素も、木が青、火が赤、土が黄、金（金属鉱物）が白、水が黒に対応されている。数字にも色がつけられ、一白・二黒・三碧・四緑・五黄・六白・七赤・八白・九紫とされている。ちなみに日本の競馬では、一枠の騎手は白い帽子を、二枠の騎手は黒い帽子を、五枠の騎手は黄色い帽子を被っている。

中国では、グリーンもブルーも共に「青」で表わすが、両者を識別しなかったわけではなく、日本で緑信号を青信号と呼んでいるのと同様である。

第七章　心と言葉と行動

近代法は人間の内面を罰しない。それは人権を護る上で当然である。だが、その結果、現代人はあたかも心をあってなきが如き軽い存在とみなすようになってしまった。孔子にとっては「心」と「言葉」と「行動」は三位一体の切り離せないものであり、とりわけ「心」が肝心だった。「心」は外からは窺《のぞ》けない。だからこそ「心」を磨き鍛えることが最重要課題とされているのだ。三者をいかに過不足なく一体化させるか、孔子は終生その問題を追求している。

1　思慮

一　人を使う立場にいながら寛大な心がなく、礼儀作法に従いながら尊敬の心がなく、葬式に参列していながら哀悼の心がない。そんな心の伴《ともな》わない上べだけの人間に取《と》り柄《え》なんかあるもんかね。

（八佾第三―二十六）

子曰、居上不寛、爲禮不敬、

子曰わく、上《かみ》に居て寛《かん》ならず、礼を為《な》して敬せず、喪《も》

臨喪不哀、吾何以観之哉、

に臨《のぞ》みて哀《かな》しまずんば、吾れ何を以てかこれを観んや。

二　弟子の子張《しちょう》が「ものごとを自分の思い通りに行うにには、どのような態度で臨めばよいのでしょうか」と訊《き》くので、次のように答えたんだ。「ことばに真心が込められていることが第一。行動が穏やかで相手に対する尊敬が込められているのが第二。そうすればことばの通じない未開の地でも自分の思い通りに実行できるよ。逆に、この二点がなければ、勝手知った郷里においてさえ思い通りに事を進めることなんてできっこないよ。立ち止まっている時も馬車に乗って走っている時も常にこの二点が目の前にチラついて見えるようになってようやく実現できる難事ではあるがね」とね。そうしたら子張のやつ、いつでも目の前にチラつくようにと、わたしのことばを自分が着ている服の広帯の裏に書きつけたよ。

（衛霊公第十五—六）

子張問行、子曰、言忠信、行篤敬、雖蠻貊之邦行矣、言不忠信、行不篤敬、雖州里行乎哉、立則見其参於前也、在輿

子張、行なわれんことを問う。子曰わく、言《げん》忠信、行　篤敬《とくけい》なれば、蛮貊《ばんばく》の邦《くに》と雖ども行なわれん。言忠信ならず、行　篤敬ならざれば、州里と雖ども行なわれんや。立ちては則ち其の前に参するを見、輿《くるま》に在《あ》

則見其倚於衡也、夫然後行也、
子張書諸紳、

りては則ち其の衡《こう》に倚《よ》るを見る。夫《そ》れ然る後《のち》に行なわれん。子張、諸《こ》れを紳《しん》に書す。

三　人の上に立つ者には、守るべき以下の九つの心得があるよ。物を見る時には明確に見ること。聴く時には誤りなく聞き取ること。表情を穏和に保つ。立ち居振る舞いを上品にする。ことばを違《たが》えない。仕事は慎重にする。疑問があったら問うことを恥じない。見境なく怒らない。道義に反した利益を追わない。まっ、こんなところだろうかね。

孔子曰、君子有九思、視思明、聽思聰、色思温、貌思恭、言思忠、事思敬、疑思問、忿思難、見得思義、

孔子曰わく、君子に九思あり。視《み》るには明を思い、聴くには聡《そう》を思い、色には温を思い、貌《かたち》には恭を思い、言には忠を思い、事には敬を思い、疑わしきには問いを思い、忿《いか》りには難を思い、得《う》るを見ては義を思う。

（季氏第十六―十）

四　目先のことに目がくらんで、将来のことを考えずに行動すれば、すぐに足を掬《すく》われるよ。

（衛霊公第十五―十二）

子曰、人而無遠慮、必有近憂、

子曰わく、人にして遠き慮《おもんぱか》り無ければ、必らず近き憂

い有り。

五　わたしが**生**まれる**以前**に**魯**《ろ》の**家老**であった**季文子**《きぶんし》**殿**は、ものごとを三度考えてから実行されたというが、考えるのは二度でいいね。思慮深いのも結構だが、最初から三度考えようなどと思っていると、一度の考えが浅くなるし、即断ができなくなるだろう。「へたの考え休むに似たり」だよ。

（公治長第五―二十）

季文子三思而後行、子聞之曰、再思斯可矣、

季文子、三《み》たび思いて而《しか》る後《のち》に行なう。子、これを聞きて曰わく、再《ふた》びせば斯《こ》れ可《か》なり。

【解説】

○理由の蛇足を加えて訳した。

2　心の安泰

一　**南方**の**諺**《ことわざ》に「フラつく**心**にゃ、**祈祷師様**やお**医者様**さえお**手上**げだ」とあるそうだが、まったくだね。**易経**《えききよう》にも「**自**らの**道徳規準**が**定**まっていないと**辱**《はずかし》めを**受**けるであろう」と

書かれているが、易《えき》を立てるまでもない自明の理だよ。

（子路第十三―二十二）

子曰、南人有言、曰、人而無恆、不可以作巫醫、善夫、不恆其德、或承之羞、子曰、不占而已矣、

子曰わく、南人《なんじん》、言えること有り。曰わく、人にして恒《つね》なくんば、以て巫医《ふい》を作《な》すべからずと。善いかな。其の徳を恒にせざれば、或るいはこれに羞《はじ》を承《すす》めん。子曰わく、占《うらな》わざるのみ。

【解説】

○司馬遷の『史記―孔子世家第十七』には晩年の孔子が『易経』を学んだと記されており、述而第七―十六にも関連章句があるが、今日の学説では否定的である。

二　わたしがこの世で聖人に会える可能性はもはや絶望的だが、代わりに人格者に会えればいいね。善人に会える可能性も絶望的だが、せめて平常心を持った人には会いたいもんだね。でも、これだとて難しいかなァ。無い時も有る時と同じような、欠けている時も満ちている時と同じような、貧乏な時にも豊かな時と同じような精神状態や行動を保っていられる人物のことなんだからね。

（述而第七―二十五）

子曰、聖人吾不得而見之矣、得見君子者、斯可矣、子曰、善人吾不得而見之矣、得見有恆者、斯可矣、亡而爲有、虛而爲盈、約而爲泰、難乎有恆矣、

子曰わく、聖人は吾れ得てこれを見ず。君子者《くんししゃ》を見るを得ば、斯《こ》れ可《か》なり。子曰わく、善人は吾れ得てこれを見ず。恒《つね》ある者を見るを得ば、斯れ可なり。亡《な》くして有りと為《な》し、虚《むな》しくして盈《み》てりと為し、約にして泰《ゆた》かなりと為す。難《かた》いかな、恒あること。

三　**弟子の司馬牛《しばぎゅう》が**「**君子**とはどんな**人物**ですか」と質問するので、「**君子**というのは、**心配**したり**恐れ**たりしない、**心**の安泰な人のことだよ」と答えたんだ。そうしたら、「**心配**したり**恐れ**たりしなければ、**君子**と言えますか」と訊《き》くから、「そりゃそうさ。**心配**も**恐**れもないということは、**自**らの**行動**を**振**り**返**って**疚《やま》**しいところが**全**くないということだろう。そうした**行動**がとれれば、**立派**に**君子**と言えるさ」と**説明**してやったよ。

（顔淵第十二―四）

司馬牛問君子、子曰、君子不憂不懼、曰、不憂不懼、斯可謂之君子已乎、子曰、内省不

司馬牛、君子を問う。子曰わく、君子は憂えず、懼《おそ》れず、曰わく、憂えず、懼れず、斯《こ》れこれを君子と謂うべきか。子曰わく、内に省《かえり》みて疚《やま》しからずんば、夫《そ》れ

疾、夫何憂何懼、　　何をか憂え何をか懼れん。

【解説】

◎勇者との相異を示すために「心の安泰」の語を加えた。

3　プラス思考

一　弟子の子貢《しこう》が、「貧乏でもへつらわない、金持ちになっても高ぶらないというのはどうです。なかなか立派でしょう」と言うから、「まあな。でも、貧乏でいながら学問を楽しみ、金持ちになっても礼儀にいそしむ者にはおよばないな」と答えてやったんだ。どういう意味か分かるかね。「へつらわない」、「高ぶらない」というように何かを否定しているうちはマダマダだ、もっと積極的に自分を磨《みが》かなければダメだよと言うつもりだったんだ。そうしたら、そう説明する前に子貢がこう言ったのさ。「詩経《しきょう》に『磨《みが》きに磨きをかける』という句がありますが、磨くというのは、欠点などを削《けず》り落とすという意味でなく、自分の中にあって、まだ埃《ほこり》をかぶっている長所を積極的に外にあらわすという意味なんですね」とな。あの素早い反応には正直いって驚いた。そこで、「いやあ、でかした、でかした。お前も大した詩の理解者じゃないか。お前とならば一緒に詩を語り合えるよ、ツーッと言えばカーッだもの」と誉《ほ》めてやったよ。

（学而第一―十五）

子貢曰、貧而無諂、富而無驕、何如、子曰、可也、未若貧而樂道、富而好禮者也、子貢曰、詩云、如切如磋、如琢如磨、其斯之謂與、子曰、賜也、始可與言詩已矣、告諸往而知來者也、

子貢《しこう》曰わく、貧《まず》しくして諂《へつら》うこと無く、富みて驕《おご》ること無きは、何如《いかん》。子曰わく、可《か》なり。未《いま》だ貧しくして道を楽しみ、富みて礼を好む者には若《し》かざるなり。子貢曰わく、詩に云《い》う、切《せつ》するが如く磋《さ》するが如く、琢《たく》するが如く磨《ま》するが如しとは、其れ斯《こ》れを謂うか。子曰わく、賜《し》や、始めて与《とも》に詩を言うべきのみ。諸《こ》れに往《おう》を告げて来《らい》を知る者なり。

【解説】

○「切磋琢磨《せつさたくま》」は現在では、学問や修業に励むの意味だが、原義は切は骨を、磋は象牙を、琢は玉を、磨は石を、削り磨くという意味。

◎従来の訳では孔子が何を誉めたのか分かり難いが、「マイナス思考」と「プラス思考」の概念を当てはめると理解しやすいだろう。孔子の教育姿勢は、弟子達の欠点を否定するのでなく、自らの長所に気づかせ長所を発展させるよう促すものだったからこそ、あれほど多くの若者が慕《した》い寄ってきたのだろう。

二　わたしはね、正義の実践者と、不正を憎《にく》む者とは、似ているけれども、明白な相異がある、と思っているんだよ。正義の実践者に関してはつけ加えることはないが、不正を憎む者について一言いっておこう。不正を憎む者も不正が広がるのを防いでいるのだから、正義を行っていることに違いはない。しかし、一日でもいいから他人の不正を責めるというマイナスの情熱を自らの正義を実践するというプラスの情熱に転換してみるといい。そうすれば、異《ちが》いが分かるはずだ。他人の不正を憎むエネルギーを持っているのに、自らの正義を実践するエネルギーがないなんて言う者はおるまいよ。そんな者がいると思うかい？おるまいよ。

（里仁第四―六）

子曰、我未見好仁者惡不仁者、好仁者無以尚之、惡不仁者其爲仁矣、不使不仁者加乎其身、有能一日用其力於仁矣乎、我未見力不足者、蓋有之乎、我未之見也、

子曰わく、我れ未《いま》だ仁を好む者の、不仁を悪《にく》む者なるを見ず。仁を好む者は、以てこれに尚《くわ》うること無し。不仁を悪む者は、其れ仁を為《な》す。不仁者をして其の身に加えざればなり。能く一日も其の力を仁に用いること有らんか、我れ未だ力の足らざる者を見ず。蓋《けだ》しこれ有らん、我れ未だこれを見ざるなり。

【解説】

◎第一句は、通常は「我いまだ仁を好む者、不仁をにくむ者を見ず」と読み、両者ともに見ないと解しているが、私は「我いまだ仁を好む者の不仁をにくむ者なるを見ず」と読み、両者の相異を述べているものと解した。

三　**弟子の子路《しろ》は生涯、「害も与えず奪いもしない。けっこう毛だらけ」と詩経《しきよう》の一節を口ずさんでいたが、「おいおい、過信するなよ。お前が害を与えていないと思っていても、相手がそう思うとは限らないんだからな。それに、ナイナイづくしでなくプラス思考でいかなくってはダメだよ」と窘《たしな》めたことがあったよ。あの時は、まさか彼が非業の死を遂げるとは想いもしなかったが……。**

（子罕第九―二十八）

不忮不求、何用不臧、子路終身誦之、子曰、是道也、何足以臧、

忮《そこな》わず求めず、何を用《もつ》てか臧《よ》からざらん。子路、終身《しゆうしん》これを誦《しよう》す。子曰わく、是《こ》の道や、何ぞ以て臧《よ》しとするに足らん。

【解説】

◎従来の訳では孔子が子路の何を批判したのかが判然としないので補足して訳した。

4　言葉と弁舌

一　おい、おい、小器用《こぎよう》な言い回しやオーバーなジェスチャーは、真心《まごころ》がお留守になってる証拠だぞ。

（学而第一—三）

子曰、巧言令色、鮮矣仁、　　子曰わく、巧言令色《こうげんれいしょく》、鮮《すく》なし仁。

【解説】

◎「おべっか上手や愛想のよい人間に仁者はいない」というのが従来の訳だが、それでは当たり前に過ぎる。この言葉は陽貨第十七—十七にそっくり繰り返されている。論語には重複しているフレーズが幾つかあるが、それらは恐らく孔子のお得意の口癖だったのだろう。この句も、弟子達が議論に熱中し過ぎて力み返ったり、現実ばなれの議論に走ったりした時に、冷静さを取り戻させるために孔子が頻繁に用いたものであり、弟子達には懐かしい言葉だったに違いない。だからこそ、取り除かれることもなく重複して記載されているのだろう。

○ムッソリーニやヒトラーやレーニンはオーバーなジェスチャーを交えた巧みな弁舌で権力を得たが、最終的に失墜したのは誠実さを欠いていたためである。

二　あるお方が、弟子の仲弓《ちゅうきゅう》は人格者だが口べただと批判したから、「どうして口達者である必要があります。弁舌の才で相手を言いくるめようとすれば、人に憎《にく》まれるのがオチですよ。仲弓が人格者か否かはともかく、人として口べたであることは何ら欠点ではありません」と弁護してやったよ。

(公冶長第五—五)

或曰、雍也、仁而不佞、子曰、焉用佞、禦人以口給、屢憎於人、不知其仁也、焉用佞也、

或るひと曰わく、雍《よう》や、仁なれど佞《ねい》ならず。子曰わく、焉《いずく》んぞ佞を用いん。人に禦《あた》るに口給《こうきゅう》を以てすれば、屢々《しばしば》人に憎まる。其の仁を知らず、焉《いずく》んぞ佞を用いん。

【解説】

○『論語』における「或」は「ある人」の意味だが、名前を出すのを憚《はばか》って匿名にしてある高位高官を指す場合が多い。貝塚茂樹氏は、本章句の「ある人」は冉雍の主君である魯の家老の季康子と推察している。

三　徳のある人は言うことも立派だが、言うことが立派だから徳があるとは言えないね。同様に、仁者は勇者でもあるが、勇者ならば必ず仁者であるとは言えないね。

（憲問第十四―五）

子曰、有徳者必有言、有言者不必有徳、仁者必有勇、勇者不必有仁、

子曰わく、徳有る者は必らず言あり。言有る者は必らずしも徳あらず。仁者《じんじや》は必らず勇あり。勇者は必らずしも仁あらず。

四　共に語り合うべき時に語らないと、せっかくの話し相手を失ってしまう。語り合うべきでない時に語れば、言い放しになり信用を失ってしまう。思慮のある者は二つながら失うことがないものだよ。

（衛霊公第十五―八）

子曰、可與言而不與之言、失人、不可與言而與之言、失言、知者不失人、亦不失言、

子曰わく、与《とも》に言うべくしてこれと言わざれば、人を失なう。与《とも》に言うべからずしてこれと言えば、言《げん》を失なう。知者《ちしや》は人を失なわず、亦た言を失なわず。

【解説】

◎「失言」は「ことばをムダにする」「失言する」というのが従来の訳だが、「ことばに対する信用を失う」と解した。

五　口先人間は道徳を損《そこ》ない、我慢知らずは大きな仕事をやり損なう。

（衛霊公第十五—二十七）

子曰、巧言亂徳、小不忍、則亂大謀、　子曰わく、巧言《こうげん》は徳を乱《みだ》る。小、忍びざれば、則ち大《たい》謀《ぼう》を乱る。

六　ことばや文章表現は平易簡潔が一番だよ。

（衛霊公第十五—四十一）

子曰、辭達而已矣、　子曰わく、辞《じ》は達するのみ。

七　わたしが「もうあれこれ口で言うのはやめようと思う」と言ったら、**弟子の子貢《しこう》が**「それでは困ります。わたしたち弟子に何も伝わらなくなってしまいます」と言うから、「天はものを喋るかね、何も言わなくても四季は巡り万物は生成しているじゃないか。お前たちも、そろそろ言葉に頼らずに物事を感得することを学ぶべき時だよ」と言い聞かせてやったよ。

（陽貨第十七—十九）

子曰、予欲無言、子貢曰、子如不言、則小子何述焉、子曰、天何言哉、四時行焉、百物生焉、天何言哉、

子曰わく、予《わ》れ言うこと無からんと欲す。子貢曰わく、子如《も》し言わずんば、則ち小子《しょうし》何をか述べん。子曰わく、天何をか言うや。四時行なわれ、百物生ず。天何をか言うや。

5 座右《ざゆう》の銘《めい》

一 弟子の子貢《しこう》が「ほんの短くて、座右《ざゆう》の銘《めい》にできるような言葉はありませんか」というから、「そうさな、『思いやり』かね。自分がされたくないことを人にしないいってことだよ」と教えたよ。

（**衛霊公第十五—二十四**）

子貢問曰、有一言而可以終身行之者乎、子曰、其恕乎、己所不欲、勿施於人也、

子貢問いて曰わく、一言にして以て終身《しゅうしん》これを行なうべき者ありや。子曰わく、其れ恕《じょ》か。己れの欲せざる所は人に施すこと勿《な》かれ。

二　定公《ていこう》様とこんな問答をしたことがあるよ。
「一言で国を振興させられるキャッチフレーズのようなものはないかね」

「ことばというものは本来そんなお手軽なものではありませんが、近いのは世間で言う『王さま稼業は難しや、家来も楽じゃないけれど』でしょうか。王たることの難しさを君主が悟ったならば、一言で国を振興させられるキャッチフレーズに近いでしょう」

「ふむ。では、逆に一言で国を滅亡させることばはあるかね」

「ご同様に、近いものならあります。世間で言う『王さま稼業は楽しくないが、みんながヘイコラ楽しいな』がそれです。もしも君主の行いが正しく、国民がそれに従っているのならば結構ですが、君主の行いが悪く、国民がそれにヘイコラしているなら、一言にして国を滅亡させるに近いことばと言えますでしょう」

（子路第十三―十五）


定公問、一言而可以興邦有諸、孔子對曰、言不可以若是、其幾也、人之言曰、爲君難、爲臣不易、如知爲君之難也、不幾乎一言而興邦乎、曰、一言

定公問う。一言にして以て邦《くに》を興《お》こすべきこと諸《こ》れ有りや。孔子対《こた》えて曰わく、言《げん》は以て是《か》くの若《ごと》くなるべからざるも、其れ幾《ちか》きなり。人の言に曰わく、君たること難《かた》し、臣たること易《やす》からずと。如《も》し君たることの難《かた》きを知らば、一言にして邦を興こすに幾《ちか》からずや。

而可喪邦有諸、孔子對曰、言不可以若是、其幾也、人之言曰、予無樂乎爲君、唯其言而樂莫予違也、如其善而莫之違也、不亦善乎、如不善而莫之違也、不幾乎一言而喪邦乎、

曰わく、一言にして以て邦を喪《ほろ》ぼすべきこと諸《こ》れ有りや。孔子対えて曰わく、言は以て是くの若くなるべからざるも、其れ幾《ちか》きなり。人の言に曰わく、予《わ》れは君たることを楽しむこと無し。唯だ其の言にして予れに違《たが》うこと莫《な》きを楽しむなりと。如《も》し其れ善にしてこれに違うこと莫《な》くんば、亦た善からずや。如《も》し不善にしてこれに違うこと莫くんば、一言にして邦を喪ぼすに幾《ちか》からずや。

6　言葉と行動

―論理的に非の打ち所がない発言をするからといって立派な人物と思い込むのは早合点だよ。行動に移してみないことには、信頼するに足る人物か、ただの口先人間か分からんもんだよ。

（先進第十一―二十一）

子曰、論篤是與、君子者乎、

子曰わく、論の篤《あつ》きに是れ与《くみ》すれば、君子者か、色荘《しきそう》

色荘者乎、　　　　　　　　　　者《しゃ》か。

二　**ひとかどの人物**というのは、**相手の言葉**だけで**人**を**軽信**せずに、**行動**をしっかりと**見極**めるものだよ。また、**誰**が**発言**しようと**無視**するようなことはしないものだね。**誰**の**発言**だろうと、**正**しい**意見**は**採用**するのさ。

（**衛霊公第十五―二十三**）

子曰、君子不以言擧人、不以人廢言、

子曰わく、君子は言を以て人を挙げず、人を以て言を廃せず。

三　**昔**の**人**が、**言葉**に**慎重**だったのは、**自分**の**言葉**に**実行**が**追**いつかないのを**恥**としたためだよ。

（**里仁第四―二十二**）

子曰、古者、言之不出、恥躬之不逮也、

子曰わく、古者《いにしえ》の、言《げん》をこれ出《い》ださざるは、躬《み》の逮《およ》ばざるを恥ずればなり。

四　**善**《よ》**い政治**が**行**われている**時**はドンドン**発言**し、バンバン**行**うべきだ。しかし、ろくでも

ない政治が行われている時は、バンバン行ってもいいが、言葉を慎重に選び足を掬《すく》われないように気をつけるといいな。

（**憲問第十四―四**）

子曰、邦有道危言危行、邦無道危行言孫、

子曰わく、邦《くに》に道あれば、言を危《はげ》しくし行を危しくす。邦に道なければ、行を危しくして言は孫《したが》う。

五　言いっぱなしを恥じるようでなければ大事はなせないぞ。

（**憲問第十四―二十一**）

子曰、其言之不怍、則其爲之也難、

子曰わく、其の言《げん》にこれ怍《は》じざれば、則ちこれを為《な》すこと難《かた》し。

六　誠実な人間なら、出来もしない大ボラを吹くのを恥じるもんさ。

（**憲問第十四―二十九**）

子曰、君子恥其言之過其行也、

子曰わく、君子は其の言《げん》の其の行《こう》に過ぐるを恥ず。

七　弟子の子路《しろ》が「聞いたことをすぐに実行してよいものでしょうか」と訊《き》くから、「両親

もいることだし、相談しなけりゃダメだよ。聞いたらソク実行なんて、とんでもない」と答えたのさ。その後で、弟子の冉有《ぜんゆう》がまったく同じ質問をしたから、「聞いたらすぐに行うことだよ」と答えたんだ。そうしたら、たまたま両方の場に居合わせていた弟子の公西《こうせい》華《か》が、「同じ問に先生が正反対の返答をしたのを聞いて、わたしは混乱しています。お教え下さい」って真顔で言うからね、「何の不思議があるもんか。冉有は消極的だから即断即行ぎみくらいが適当だし、子路は人を押しのけてでも進む方だから、押さえ気味が丁度よい案配《あんばい》なので、それぞれに相応《ふさわ》しい回答をしたまでだよ」と手の内を明かしてやったよ。

（先進第十一―二十二）

子路問、聞斯行諸、子曰、有父兄在、如之何其聞斯行之也、冉有問、聞斯行諸、子曰、聞斯行之、公西華曰、由也問、聞斯行諸、子曰、有父兄在、求也問、聞斯行諸、子曰、聞斯行之、赤也惑、敢問、子曰、求也退、故進之、由也兼人、

子路問う、聞くままに斯《こ》れ行なわんや。子曰わく、父兄の在《いま》すこと有り、これを如何《いかん》ぞ、其れ聞くままに斯れこれを行なわんや。冉有《ぜんゆう》問う、聞くままに斯れ行なわんや。子曰わく、聞くままに斯れこれを行なえ。公《こう》西華《せいか》曰わく、由《ゆう》や問う、聞くままに斯れ行なわんやと。子曰わく、父兄の在すこと有りと。求《きゅう》や問う、聞くままに斯れ行なわんやと。子曰わく、聞くままに斯れこれを行なえと。赤《せき》や惑《まど》う。敢《あ》えて問う。子曰わく、求

故退之、

や退く、故にこれを進む。由や人を兼ぬ、故にこれを退く。

7　ほどよい行為

一　「いい加減」という言葉は「過不足のない、ちょうど良い加減」という最高の意味なのに、最近では、すっかり「ちゃらんぽらん」という悪い意味でしか使われなくなってしまったねェ。

子曰、中庸之爲徳也、其至矣乎、民鮮久矣、

子曰わく、中庸《ちゆうよう》の徳たるや、其れ至れるかな。民鮮《すく》なきこと久し。

（雍也第六―二十九）

二　弟子の子貢《しこう》が、後輩弟子の子張《しちよう》と子夏《しか》のどっちが優れているかと訊《き》くものだから、「そうさな、子張はやり過ぎだが、子夏はやり足りないな」と答えたんだよ。すると子貢が「では、子張が優れてるんですね」と言うから、「バカお言い。やり過ぎはやり足りないのと同じでマダマダってことだよ。ものごとの加減を過不足なくピシッと決められないうち

狂狷乎、狂者進取、狷者有所不爲也、

狷《けん》か。狂者は進みて取り、狷者は為《な》さざる所あり。

8　惑《まど》いと過《あやま》ち

一　**弟子の子張《しちょう》が「徳を高める方法と、惑《まど》いを見極《みきわ》める方法をお教え下さい」と同時に二つのことを求めたんでね、「真心《まごころ》を持ち、ウソをつかず、正義を実践していくのが徳を高める方法だ。人を愛している時にはその人の長寿を願うが、いったん憎《にく》み出すと死を願ったりする。本来、人の死を願ったりなどしてはいけないと頭で分かっていながら、状況がちょっと変わっただけで考えや主張が百八十度変わる。そういうのを惑いと言うんだよ。大切なのは、状況に振り回されないようにすることだね」と教えてやったよ。**

（顔淵第十二―十）

子張問崇德辨惑、子曰、主忠信徙義、崇德也、愛之欲其生、惡之欲其死、既欲其生、又欲其死、是惑也、

子張、徳を崇《たか》くし惑《まど》いを弁ぜんことを問う。子曰わく、忠信を主として義に徙《うつ》るは、徳を崇くするなり。これを愛しては其の生を欲し、これを悪《にく》みては其の死を欲す。既に其の生を欲して、又た其の死を欲するは、是

れ惑いなり。

二　**人間の過《あやま》ちというものは、捉《と》らわれの気持ちから生じるものだ。だから、自分や他人の過ちをつぶさに観察すれば、何に捉らわれているかが分かり、それだけでも一歩善に近付くことができるものなんだよ。**

（**里仁第四―七**）

子曰、人之過也、各於其黨、観過斯知仁矣、

子曰わく、人の過《あやま》つや、各々其の党に於《お》いてす。過ちを観て斯《ここ》に仁を知る。

【解説】

◎「過ちを観れば相手が仁かどうか分かる」というのが従来の訳だが、それではあまりに傍観者的に過ぎるだろう。

三　**こんなご時世だから、しょうがないことかもしれないが、わたしはこの齢《とし》になるまで、自分の過《あやま》ちを素直に認めて自責の念にかられるような人物にお目にかかったことがないんだよねェ。**

（**公冶長第五―二十七**）

子曰、已矣乎、吾未見能見其過、而内自訟者也、

子曰わく、已《や》んぬるかな。吾れ未だ能く其の過《あやま》ちを見て内に自ら訟《せ》むる者を見ざるなり。

四　過《あやま》ちに気づいても改めようとしないのをホンモノの過ちと言うのであって、過ちを恐れて何もしないというのでは元も子もないよ。

（衛霊公第十五―三十）

子曰、過而不改、是謂過矣、

子曰わく、過《あやま》ちて改めざる、是れを過ちと謂う。

豆知識6　筆記具

中国古代の本やノートは、木簡《もっかん》や竹簡《ちっかん》といって、木や竹を材料に作られた巾二〜四センチ・長さ三十センチ前後の細長い板を、糸で巻簀《まきす》状に束ね合わせたものである。読んだり書いたりする時は広げ、保管や運搬には巻いておくので、今でも書物を数えるのに「巻」という助数詞を用いることがある。文字は毛筆で書くが、書き間違えると小刀で削ったので、筆記具のことを「刀筆《とうひつ》」といった。墨は炭素が主成分であるので千年たっても色が褪せない。日本でも江戸時代の商家では、火事になると取引帳簿である大福帳を店内にある井戸に投げ入れて火災から護ったが、水に濡れても文字が消えることがなかった。

『論語』は、秦の始皇帝の「焚書坑儒《ふんしょこうじゅ》」の時代に、難を避けて孔家の屋敷の土塀の中に塗り込められたという。それが後に発見されて現在に伝わったというのだが、束ねていた糸が腐って、竹簡がバラバラに出てきたため現行の『論語』は項目別になっていないのだとの説もある。もしも、紙が発明されていたなら『論語』本体も腐って残っていなかったかもしれない。

第八章　人間の品位

孔子が弟子たちに求めたのは、能力よりも人間の品位だった。政治家や指導者の道徳的感化によって国や社会が道徳的に生まれ変わると考えた孔子にとって、人を導く者の品位ほど大切なものはなかった。孔子は「目的のためには手段を選ばない」という生き方を斥《しりぞ》けたが、それは、そうした生き方が何よりも品位に欠けるものだったからである。孔子は身分社会の中に生きていたが、品位という基準を設けることによって外的な身分や階級を超越していたと言える。

1　品位

一　名馬の価値は、その脚力にあるんでなく、その品位にあるんだよ。同様に、人間の価値は才能よりも品位だよ。

（憲問第十四—三十五）

子曰、驥不称其力、稱其徳也、

子曰《い》わく、驥《き》は其の力を称せず。其の徳を称す。

【解説】

○後半を補足して訳した。

二 **まず、その人の行動を見る。次にしばらく観察して、その人の行動パターンをつかむ。そして私生活を推察してみる。そうすれば、どんなに誤魔化そうとしたって、相手がどんな品位の人間か隠しおおせるもんじゃないさ。**

（**為政第二―十**）

子曰、視其所以、観其所由、察其所安、人焉捜哉、人焉廋哉、

子曰わく、其の以《な》す所を視《み》、其の由《よ》る所を観《み》、其の安んずる所を察すれば、人焉《いずく》んぞ廋《かく》さんや、人焉んぞ廋さんや。

2 貧富と貴賤

一 **金持ちになりたい、出世したいと考えるのは人情の常だから否定はせんよ。しかし正攻法でなるのでなければ、つまらんじゃないか。貧乏で下積みの生活は誰もが嫌《いや》がるが、正しい行為をしていてそういう境遇ならば、胸を張ってそれを楽しもうじゃないか。ひとかどの人物になろうと思う者が生活が苦しいからと正義を捨ててどうする。食事をする間も、忙しい時も、何かにつまずいてひっくり返りそうになった瞬間ですら、正義の心を失わな**

い、そのくらいの覚悟が肝心だぞ。

（里仁第四―五）

子曰、富與貴、是人之所欲也、不以其道得之、不處也、貧與賤、是人之所惡也、不以其道得之、不去也、君子去仁、惡乎成名、君子無終食之間違仁、造次必於是、顚沛必於是、

子曰わく、富《とみ》と貴《たっと》きとは、是れ人の欲する所なり。其の道を以てこれを得ざれば、処《お》らざるなり。貧しきと賤《いや》しきとは、是れ人の悪《にく》む所なり。其の道を以てこれを得ざれば、去らざるなり。君子、仁を去りて悪《いず》くにか名を成さん。君子は食を終うるの間も仁に違《たが》うこと無し。造次《ぞうじ》にも必らず是《ここ》に於《お》いてし、顚沛《てんぱい》にも必らず是に於いてす。

【解説】

○弟子たちを一堂に集めて叱咤激励している口吻がある。

二　**詩経**《しきょう》に「ホントだよ、**世俗**の**富**でなくってね、ホントの**富**があるんだよ」と**詠**《よ》まれているが、**斉**《せい》の国の**景公**《けいこう》は**四千頭**の**馬**を**持**つほど**豊**かな**生活**をしていたが、**死**んだ**時**には、その**徳**を**讃**《たた》える**国民**は**一人**もいなかった。**一方**、**王位**を**継承**する**高貴**な**地位**に**生**まれながら**節**を**通**して**隠者**となって**首陽山**の**麓**《ふもと》で**餓死**した**殷**《いん》の**伯夷**《はくい》と**叔斉**《しゅくせい》の**兄弟**は、**今**にいたるまで

人民に誉《ほ》め称《たた》えられている。さあ、どっちが真に豊かで高貴な人生を送ったと言えるかね。

（季氏第十六—十二）

誠不以富、亦祇以異、齊景公有馬千駟、死之日、民無徳而称焉、伯夷叔齊餓于首陽之下、民到于今稱之、其斯之謂與、

誠に富みを以てせず、亦た祇《ただ》に異を以てす。斉《せい》の景公、馬千駟《し》あり。死するの日、民徳として称すること無し。伯夷《はくい》・叔斉《しゅくせい》、首陽の下《もと》に餓《う》う。民今に到るまでこれを称す。其れ斯《こ》れをこれ謂うか。

三　思慮のある人物は道義を第一に考え、食《く》い扶持《ぶち》を第一には考えないもんだよ。たとえ農業に従事していても異常気象などで飢えることがあるが、学問をしていればいずれ必ず俸給が得られ、飢えずにすむようになると分かってるからさ。だから、思慮ある者は修行中に道義が身につかないことを心配しても貧乏であることを悩んだりはしないもんなんだよ。

（衛霊公第十五—三十二）

子曰、君子謀道、不謀食、耕也餒在其中矣、學也祿在其中矣、君子憂道、不憂貧、

子曰わく、君子は道を謀《はか》りて食を謀らず。耕して餒《う》え其の中《うち》に在り、学べば禄《ろく》其の中に在り。君子は道を憂えて貧しきを憂えず。

四　**贅沢《ぜいたく》をしていると尊大不遜になるし、逆に倹約ばかりしていると融通がきかず頑《かたく》なになりがちなもんだ。それでも、まあ、尊大不遜よりは頑《かたく》なな方がいいかねェ。**

（述而第七―三十五）

子曰、奢則不孫、儉則固、與其不孫也寧固、

子曰わく、奢《おご》れば則ち不孫《ふそん》、倹なれば則ち固《こ》なり。其の不孫ならんよりは寧《むし》ろ固なれ。

五　**わたしが、「いっそ、東方の未開の国にでも移り住もうかねェ」と言ったら、ある人が、「とんでもないことです。文化果《は》つる賤《いや》しい地ですよ」と言うから、「自らが文化を持っている者が住めば、何処《どこ》だろうと賤《いや》しい地なんてあるもんですか」と言ってやったよ。**

（子罕第九―十四）

子欲居九夷、或曰、陋如之何、子曰、君子居之、何陋之有、

子、九夷《い》に居らんと欲す。或るひと曰わく、陋《いや》しきこと、これを如何《いかん》せん。子曰わく、君子これに居らば、何の陋しきことかこれ有らん。

3　利益と欲

一　理想とする政治を実現するのに、どうしても金銭が必要というのであれば、わたしは鞭《むち》を振るって行列の先払いをする足軽になってでも金を貯《た》めてみせるよ。でもそうでないなら、今のままの金銭とは無縁の生活をしていたいね。

子曰、富而可求也、雖執鞭之士、吾亦爲之、如不可求、從吾所好、

子曰わく、富《とみ》にして求むべくんば、執鞭《しつべん》の士と雖ども、吾れ亦たこれを為《な》さん。如《も》し求むべからずんば、吾が好む所に従わん。

（述而第七―十一）

【解説】

◎「富が求めてよいものならば」「富が求めて得られるものならば」というのが従来の訳だが、それでは一般論に過ぎるので、前文を補足して訳した。

二　優れた人物は道徳的世界に安住するが、凡人は土地のような物質世界に安住するものだ。優れた者は、こんな行為をしてはまずくはないかと社会的影響に気を配るが、凡人はこうすると得じゃないかと利益にばかり気を配るものさ。

（里仁第四―十一）

子曰、君子懷德、小人懷土、

子曰わく、君子は徳を懐《おも》い、小人は土《ど》を懐う。君子は

君子懐刑、小人懐恵、　刑を懐い、小人は恵《けい》を懐う。

三　**利益だけを中心に、なりふり構わず行動すれば、人の恨《うら》みを買うのは当然だよ。**

（里仁第四―十二）

子曰、放於利而行、多怨、　子曰わく、利に放《よ》りて行なえば、怨み多し。

四　**ひとかどの人物になりたければ道義中心に生きることだよ。凡庸《ぼんよう》で終わりたければ利益中心でもよかろうがね。**

（里仁第四―十六）

子曰、君子喩於義、小人喩於利、　子曰わく、君子は義に喩《さと》り、小人は利に喩る。

【解説】

◎君子と小人の一般的比較論というのが従来の訳だが、あえて教訓として訳した。

五　**弟子の顔回《がんかい》は完璧に近いほど品行方正だったが、時として食事にも事欠くほど貧乏をしていたよ。それに引き替え、同じ弟子の子貢《しこう》ときたらインサイダー取引すれすれの利殖を**

しているが、天罰をたまたま免れているのかどうか、しょっちゅう投機で大儲けをしているようだね。

（先進第十一—十九）

子曰、回也其庶乎、屢空、賜不受命而貨殖焉、億則屢中、

子曰わく、回や其れ庶《ちか》きか、屢々《しばしば》空《むな》し。賜《し》は命《めい》を受けずして貨殖《しょく》す。億《おもんぱか》れば則ち屢々中《あた》る。

【解説】

◎「不受命」は「天命を受けずに」「天命に安んぜず」「命令を受けずに」など種々の訳があるが、雍也第六—十九の実例と解した。

六　ひとかどの人物になろうと思うなら、三つの戒《いさ》めに気をつけることだ。青年期は血気が不安定だから、気をつけるべきは性欲。壮年期は血気盛んだから、権力欲だ。出世競争などに夢中にならないことだ。老年期は血気は衰《おとろ》えるが、それに反比例して増してくる名誉欲に気をつけるんだな。

（季氏第十六—七）

孔子曰、君子有三戒、少之時、血氣未定、戒之在色、及其壯

孔子曰わく、君子に三戒《かい》あり。少《わか》き時は血気未だ定まらず、これを戒《いさ》むること色に在り。其の壮なるに及ん

也、血氣方剛、戒之在鬪、及其老也、血氣既衰、戒之在得、
では血気方《まさ》に剛《ごう》なり、これを戒むること闘《とう》に在り。其の老いたるに及んでは血気既に衰う、これを戒むること得《とく》に在り。

【解説】

◎いずれも欲を戒めていると解すべきだろう。

4　人生の楽しみ

一　有益な楽しみが三種、有害な楽しみが三種あるよ。礼式と音楽の調和を楽しむ。人の善行を話題にして楽しむ。優れた友人が増えるのを楽しむ。これが有益な三種だ。わがまま放題・遊び放題・呑み放題が有害の三種だ。

（季氏第十六―五）

孔子曰、益者三樂、損者三樂、樂節禮樂、樂道人之善、樂多賢友、益矣、樂驕樂、樂佚遊、樂宴樂、損矣、
孔子曰わく、益者三楽《らく》、損者三楽。礼楽《がく》を節せんことを楽しみ、人の善を道《い》うことを楽しみ、賢友多きを楽しむは、益なり。驕楽《きょうらく》を楽しみ、佚遊《いつゆう》を楽しみ、宴楽《えんらく》を楽しむは、損なり。

二　お腹がすいたら質素な食事をとり、喉《のど》が渇《かわ》いたら水を飲み、寝る時には肘《ひじ》を枕がわりに横になる。そんな物質的には恵まれない生活をしていても、内面に目を向ければ、自分の精神の日々の向上を楽しむことはできるはずだよ。何も貧乏がいいと言うつもりはないが、人を押しのけてまで金持ちになったり出世したりしたって、富や地位などあの空に浮かんでいる雲のように、ほんの一時のはかない存在じゃないか。それに引き替え、精神的な向上は一生もんだよ。

（述而第七―十五）

子曰、飯疏食飲水、曲肱而枕之、樂亦在其中矣、不義而富且貴、於我如浮雲、

子曰わく、疏食《そし》を飯《くら》い水を飲み、肱《ひじ》を曲《ま》げてこれを枕とす。楽しみ亦た其の中《うち》に在り。不義にして富み且《か》つ貴きは、我れに於いて浮雲《ふうん》の如し。

三　弟子の顔回《がんかい》はホントに優《すぐ》れ者《もの》だったよ。食事と言えば一椀の飯と一杯の汁だけで、小汚《こぎたな》い路地うら暮らしをしていてね。普通の者にはとても耐えられないような貧乏生活を苦にしないどころか楽しんでいたんだから。いやァ、素晴らしいやつだったよ、回は。……でも、あれが短命の原因だったんだろうかねェ。

（**雍也第六—十一**）

子曰、賢哉回也、一簞食、一瓢飲、在陋巷、人不堪其憂、回也不改其樂、賢哉回也、

子曰わく、賢なるかな回や。一簞《たん》の食《し》、一瓢《ぴょう》の飲《いん》、陋《ろう》巷《こう》に在り。人は其の憂《うれ》いに堪《た》えず、回や其の楽しみを改めず。賢なるかな回や。

【解説】

◎通常は現在形で訳すが、孔子の回顧談とし、あえて蛇足的慨嘆をつけ加えた。司馬遷の『史記―仲尼弟子列伝七』によると、顔回は二十九歳ですっかり白髪であったという。

5　ユーモア

一　弟子の子夏《しか》は今でも堅物《かたぶつ》だが、若い頃はウブでね、「『にっこりルージュ、目もとぱっちりアイシャドー、ホワイトパウダーで総仕上げ』という詩はどう意味ですか」と大真面目に質問してきたことがあるんだよ。まあ、女心をあれこれ説明するのもヤボだし、いずれは彼にも分かることだから、「ああ、それは絵の描き方を説明しているのさ。最初に濃い色を塗って、最後に白絵具で仕上げるってことだよ」と返事をしたんだよ。そうしたら、それを真《ま》に受けちゃってね、「なあるほど、道徳を身につけた後で、礼儀で整えるという

ことですね」と言ったんだ。美人を讃《たた》える詩が道徳論に早変わりとは驚いたが、いかにも彼らしい発想なので、「いやァ、驚かしてくれるじゃないか、お前と詩を語るのは楽しいよ」と言ってやったのさ。それが、今では「文学には子游《しゆう》・子夏《しか》」と言われるまでになったんだからね、若いうちに誉《ほ》めると人は育つものだね。

（八佾第三―八）

子夏問曰、巧笑倩兮、美目盼兮、素以爲絢兮、何謂也、子曰、繪事後素、曰禮後乎、子曰、起予者商也、始可與言詩已矣、

子夏《しか》問うて曰わく、巧笑倩《こうしょうせん》たり、美目盼《はん》たり、素《そ》以て絢《あや》を為《な》すとは、何の謂いぞや。子曰わく、絵《え》の事は素を後《のち》にす。曰わく、礼は後か。子曰わく、予《わ》れを起こす者は商なり。始めて与《とも》に詩を言うべきのみ。

【解説】

◎学而第一―十五の子貢を誉めた場面と同じように大真面目な問答と解するのが従来の訳だが、そうではないだろう。誉め言葉の微妙な相異から、本章はコミカルな子弟のやりとりと解した。

一　わたしが六十四歳の時のことだったが、陳《ちん》の国で軍隊に取り囲まれて、食糧も絶え、つき従っていた弟子たちもフラフラになって立ち上がることすら出来なくなっちまったんだよ。そうしたら弟子の子路《しろ》がカリカリしちゃってね、「先生。先生のような正義の人でも、こんな災難に遭《あ》わなければならないんですか」と喰《く》ってかかるから、「正義の人だろうと困難な目に陥《おちい》ることはあるさ。ただ小物《こもの》のようにジタバタしないだけのことだよ」と諭《さと》してやったよ。

（衛霊公第十五―二）

在陳絶糧、従者病莫能興、子路慍見曰、君子亦有窮乎、子曰、君子固窮、小人窮斯濫矣、

陳《ちん》に在《いま》して糧《りょう》を絶《た》つ。従者《じゅうしゃ》病みて能《よ》く興《た》つこと莫《な》し。子路慍《いか》りて見《まみ》えて曰わく、君子も亦《ま》た窮すること有るか。子曰わく、君子固《もと》より窮す。小人《しょうじん》窮すれば斯《ここ》に濫《みだ》る。

二　自分は士として清く正しく生きるんだ！と宣言しておきながら、衣服や食事が粗末なのを恥じ入るようでは、とてもとても、そんな人物とは語り合う気にもなれないね。

（里仁第四―九）

子曰、士志於道、而恥悪衣悪

子曰わく、士《し》、道に志《こころざ》して、悪衣悪食を恥ずる者は、

食者、未足與議也、　　未だ与《とも》に議《はか》るに足らず。

三　**破れた綿入れの羽織を着て、狐や貉《てん》のような上等な毛皮衣を身にまとった人物と並んで立ったとしても、少しも恥ずかしがったりしないのは、まず弟子の子路《しろ》くらいのもんだろうかね。**

（**子罕第九—二十七**）

子曰、衣敝縕袍、與衣孤貉者　　子曰わく、敝《やぶ》れたる縕袍《うんぽう》を衣《き》、孤貉《こかく》を衣たる者と立ち
立而不恥者、其由也與、　　て恥じざる者は、其れ由《ゆう》なるか。

7　おおよう

一　**弟子の仲弓《ちゅうきゅう》が政治家の子桑伯子《しそうはくし》の人柄を訊《き》いたので、「おおようで、いいんじゃないの」と誉《ほ》めたんだよ。そうしたら仲弓のやつ、「自分に対して厳《きび》しくて、人民に対しておおようなのは結構ですが、自分に対しておおようで、他人に対してもおおようではグズグズになりはしませんか」と反論してね。ごもっともなので、「いやあ、お前の言う通りだよ」と返事をしたが、誉め言葉も難しいね。**

（**雍也第六―二**）

仲弓問子桑伯子、子曰、可也、簡、仲弓曰、居敬而行簡、以臨其民、不亦可乎、居簡而行簡、無乃大簡乎、子曰、雍之言然、

仲弓、子桑伯子を問う。子曰わく、可《か》なり、簡なり。仲弓曰わく、敬に居《い》て簡を行ない、以て其の民に臨まば、亦た可ならずや。簡に居て簡を行なう、乃《すな》わち大簡なること無からんや。子曰わく、雍の言、然り。

8　奥ゆかしさ

一　**つつましやかな人で失敗する人は、まず、稀だよ。**

（**里仁第四―二十三**）

子曰、以約失之者、鮮矣、

子曰わく、約を以てこれを失する者は、鮮《すく》なし。

二　**昔の歴史を司《つかさど》る役人は、自分が判断できない箇所は余白にしておいて、誰か有能な者があとから書き込めるようにしておいたもんだよ。また、自分が乗りこなせない馬を持っている者は、自分より巧みな乗り手に貸し与えたものさ。ああいう奥ゆかしさは、昨今では**

とんとお目にかからなくなっちまったねェ。

（衛霊公第十五―二十六）

子曰、吾猶及史之闕文也、有馬者借人乘之、今則亡矣夫、

子曰わく、吾れは猶《な》お史《し》の文を闕《か》き、馬ある者は人に借《か》してこれに乗らしむるに及べり。今は則ち亡《な》きかな。

9 正直

一 誰が微生高《びせいこう》を正直者と言ってるのかねェ。ある人が酢《す》を貰いに来た時に、彼は隣の家から貰って来て、それを与えたんだよ。親切でした行為にせよ、いったん「ない」と明言した上で隣から貰うのが正直というもんだろう。さもなくば上辺飾《うわべかざ》りと変わらんじゃないか。

（公冶長第五―二十四）

子曰、孰謂微生高直、或乞醯焉、乞諸其鄰而與之、

子曰わく、孰《たれ》か微生高《びせいこう》を直《ちょく》なりと謂う。或るひと醯《す》を乞《こ》う。諸《こ》れを其の鄰《となり》に乞いてこれを与う。

【解説】

○微生が姓、高が名。詳細は不明。

◎様々な解釈があるが、「正直」の定義の問題と解し蛇足を加えて訳した。

二　楚《そ》の国の葉県《しょう》の長官が「わたしどもの村に正直躬《きゅう》と綽名《あだな》されている者がおりましてな、実の父親が迷い羊を自分のものにした時に、証人となって役所に訴え出たんですよ」と得意気に言うからね、「ほほう、左様ですか。わたしどもの村の正直者はそれとは異《ちが》いますな。父親は子供の罪を庇《かば》い、子供は父親の罪を庇《かば》います。正直というのは、人情に正直ということですよ」と教えてやったよ。

（子路第十三―十八）

葉公語孔子曰、吾黨有直躬者、其父攘羊、而子證之、孔子曰、吾黨之直者異於是、父爲子隱、子爲父隱、直在其中矣、

葉公《しょうこう》、孔子に語りて曰わく、吾が党《とう》に直躬《ちょくきゅう》なる者あり。其の父、羊を攘《ぬす》みて、子これを証す。孔子曰わく、吾が党の直《なお》き者は是れに異《こと》なり。父は子の為めに隠し、子は父の為めに隠す。直《なお》きこと其の中《うち》に在り。

10　素朴

一　われわれの先輩格に当たる周《しゅう》王朝の礼儀や音楽は、素朴で荒削りで洗練されているとは言えない。一方、後輩に当たる現在の礼楽は雅《みやび》であり、洗練されている。しかし、どっち

を取るかと言われたら、わたしは断然、質素で素朴な先輩格の方を取るね。

（先進第十一―一）

子曰、先進於禮樂野人也、後進於禮樂君子也、如用之、則吾從先進、

子曰わく、先進《せんしん》の礼楽に於《お》けるや、野人《やじん》なり。後進《こうしん》の礼楽に於けるや、君子なり。如《も》しこれを用うれば、則ち吾れは先進に従わん。

二　意志が強くて勇敢で素朴、つまり剛毅木訥《ごうきぼくとつ》というのは仁に到達しやすい性質だよ。

（子路第十三―二十七）

子曰、剛毅朴訥近仁、

子曰わく、剛毅朴訥《ごうきぼくとつ》、仁に近し。

三　弟子の子路《しろ》は、わたしが教えたことを必ず実践しようと努めたね。まだ一つの教えが身につかないうちにわたしが新たなことを教えようとすると、彼は恐れて逃げ回ったものだよ。ああいう生一本《きいっぽん》は、まったく得難《えがた》い資質だったよなァ。

（公冶長第五―十四）

子路有聞、未之能行、唯恐有聞、

子路《しろ》、聞くこと有りて、未だこれを行なうこと能《あた》わざれば、唯だ聞くこと有るを恐る。

【解説】

◎「子曰」で始まっていないが、孔子のことばとして訳した。

11 恥

一　固い信念で学問に励み、命がけで世の中を善《よ》くしようとする心構えが大切だよ。と言って、いたずらに我が身を危険に曝《さら》すのでなく、乱れた国への入国や滞在は避けるがいいね。正しい政治が行われていれば大いに活躍し、そうでなければ無理をせず隠遁するくらいの柔軟性を持つことだよ。善い政治が行われている時期に貧しく社会的地位も得られないというのは、自分の能力を生かし切っていない証拠だから恥とすべきだが、ロクでもない政治が行われている時に豊かで出世しているというのは、さらなる恥と思うべきだね。

（泰伯第八―十三）

子曰、篤信好學、守死善道、危邦不入、亂邦不居、天下有道則見、無道則隠、邦有道、貧且賤焉、恥也、邦無道、富

子曰わく、篤く信じて学を好み、死を守りて道を善《よ》くす。危邦《きほう》には入らず、乱邦には居らず。天下道あれば則ち見《あらわ》れ、道なければ則ち隠る。邦《くに》に道あるに、貧しくして且つ賤しきは恥《はじ》なり。邦に道なきに、富みて且

且貴焉、恥也、　　　　つ貴きは恥なり。

二　弟子の原憲《げんけん》が「恥とはどのようなことを言うのですか」と質問したので、「善《よ》い政治が行われている時に国家の役人となって俸給を貰うのはいいが、ロクでもない政治が行われている時に改革の声も上げずに俸給を貰っているのが恥だよ」と教えてやったよ。

（憲問第十四—一）

憲問恥、子曰、邦有道穀、邦　　　憲《けん》、恥を問う、子曰わく、邦《くに》に道あれば穀《こく》す。邦に道
無道穀、恥也、　　　　　　　　なきに穀するは、恥なり。

【解説】

○原憲は孔子より三十六歳若い。姓は原、名は憲、字は子思。

12　驕慢《きょうまん》と頑迷《がんめい》

一　驕《おご》り高ぶった思いやりのない者は、その他の点で仮《か》りにあの魯《ろ》の開祖の周公《しゅうこう》様に匹敵するくらいの素晴らしい手腕を持ちあわせているとしても、零点以下の人間だね。

（泰伯第八—十一）

子曰、如有周公之才之美、使驕且吝、其餘不足觀也已矣、

子曰わく、如《も》し周公の才の美ありとも、驕且《きょうか》つ吝《りん》ならしめば、其の余《よ》は観るに足らざるのみ。

二　**立派な人物というものは、ゆったりとして驕《おご》ったところが少しもない。ところが、小《ち》っぽけな人物ときたら、驕《おご》り高ぶり、ゆったりの「ゆ」の字もないときている。**

（子路第十三—二十六）

子曰、君子泰而不驕、小人驕而不泰、

子曰わく、君子は泰《ゆたか》にして驕《おご》らず、小人は驕《おご》りて泰《ゆたか》ならず。

三　**貧しくてもグチらずにいるのは難しいぞ。豊かで驕《おご》り高ぶらずにいるのは比較的易《やさ》しいがね。**

（憲問第十四—十一）

子曰、貧而無怨難、富而無驕易、

子曰わく、貧しくして怨むこと無きは難《かた》く、富みて驕《おご》ること無きは易《やす》し。

四　**弟子の子貢《しこう》が人の批判ばかりしているから、「お前は偉いよ。わたしにはそんなことを**

している暇がないよ」と窘《たしな》めてやったよ。

子貢方人、子曰、賜也賢乎哉、夫我則不暇、

子貢、人を方《たくら》ぶ。子曰わく、賜《し》や、賢なるかな。夫《そ》れ我れは則ち暇《いとま》あらず。

（憲問第十四―三十一）

五　ひとかどの人物というのは、意志強固ではあるが、頑迷牢固な石頭なんかじゃないよ。

子曰、君子貞而不諒、

子曰わく、君子は貞《てい》にして諒《りょう》ならず。

（衛霊公第十五―三十七）

13　虚栄

一　わたしの病気が重かった時に、弟子の子路《しろ》が、弟子たちをわたしの家来に仕立てて、万一の場合に葬儀を立派に執《と》り行えるようにと画策したことがあるんだよ。そこで、幾らか回復した時に子路にこう言ってやったんだ。「おい子路よ、いつまで茶番を続ける気なんだ。家来なんかいないのにいるような振りをして。わたしにどんなイカサマをさせる気なんだね。まさか天を騙《だま》せるとでも思ってるんじゃあるまいね。そもそもわたしは家来に取

り囲まれて死ぬよりも、弟子たちに看取《みと》られて死にたいんだよ。第一、大層な葬儀なんか必要あるもんかね、わたしが道ばたで行き倒れになって葬儀を出せないわけでもなかろうに」とね。

（子罕第九―十二）

子疾病、子路使門人爲臣、病間曰、久矣哉、由之行詐也、無臣而爲有臣、吾誰欺、欺天乎、且予與其死於臣之手也、無寧死於二三子之手乎、且予縦不得大葬、予死於道路乎、

子の疾《やまい》、病《へい》なり。子路、門人をして臣たらしむ。病、間《かん》なるときに曰わく、久しいかな、由《ゆう》の詐《いつわ》りを行なうや。臣なくして臣ありと為《な》す。吾れ誰れをか欺《あざむ》かん。天を欺かんか。且《か》つ予《わ》れ其の臣の手に死なんよりは、無寧《むしろ》二三子の手に死なんか。且つ予れ縦《たと》い大葬を得ずとも、予れ道路に死なんや。

14　憎《にく》しみと怨《うら》み

一　**本当に慈愛の心から出ているなら、どんなにきつく叱ったって怨《うら》まれることなんかあるもんかね。**

（里仁第四―四）

子曰、苟志於仁矣、無惡也、　子曰わく、苟《まこと》に仁に志《こころざ》せば、悪《にく》まるること無し。

二　わが身を責《せ》める時には厳《きび》しくし、他人を責める時には寛大にすれば、人から逆恨《さかうら》みされずにすむよ。

（衛霊公第十五―十五）

子曰、躬自厚、而薄責於人、則遠怨矣、　子曰わく、躬《み》自ら厚くして、薄く人を責むれば、則ち怨みに遠ざかる。

三　高潔な人柄で知られた伯夷《はくい》と叔斉《しゅくせい》の兄弟は、悪行を憎《にく》んだが、相手が改めた後までネチネチあげつらったりすることがなかったから、誰からも怨《うら》まれることがなかったんだよ。

（公治長第五―二十三）

子曰、伯夷叔齊、不念舊惡、怨是用希、　子曰わく、伯夷《はくい》・叔斉《しゅくせい》、旧悪を念《おも》わず。怨み是《ここ》を用《もっ》て希《まれ》なり。

四　分別盛りの四十歳になっても人から憎《にく》まれるようでは、いただけないね。

（陽貨第十七―二十六）

子曰、年四十而見悪焉、其終也已、

子曰わく、年四十にして悪《にく》まるるは、其れ終わらんのみ。

五　いやァ、わたしも気苦労して接している者はいるんだよ。わが家の小間使いの女や男たちだよ。頻繁に用を頼んだりすると、馴《な》れ馴《な》れしくなって手抜きをするし、暫《しばら》く用を頼まないと恨《うら》みがましいことを言うしね。イヤハヤ大変だ。

（陽貨第十七—二十五）

子曰、唯女子與小人、爲難養也、近之則不孫、遠之則怨、

子曰わく、唯《た》だ女子と小人《しょうじん》とは養ない難《がた》しと為す。これを近づくれば則ち不孫《ふそん》なり。これを遠ざくれば則ち怨む。

六　弟子の子貢《しこう》とこんな会話をしたよ。

「人格者でも人を憎《にく》むことがありますか」

「そりゃ、あるともさ。人の悪口を言う者を憎むし、部下として指導されていながら上役をわけもなくクサす者を憎むし、勇気はあっても礼儀に欠けている者を憎むし、積極果敢

だが聞き耳持たぬ者を憎むよ。ところで、お前は憎むものがあるかい」

「人の意見を自分のものであるかのごとく偉そうに喋る人、傲慢《ごうまん》を勇気と勘違《かんちが》いしている人、他人の欠点を暴《あば》いて正直と思い込んでいる人などを憎みますね」

（陽貨第十七―二十四）

子貢問曰、君子亦有惡乎、子曰、有惡、惡稱人之惡者、惡居下流而訕上者、惡勇而無禮者、惡果敢而窒者、曰、賜也亦有惡乎、惡徼以爲知者、惡不孫以爲勇者、惡訐以爲直者、

子貢問いて曰わく、君子も亦《ま》た悪《にく》むこと有りや。子曰わく、悪《にく》むこと有り。人の悪を称する者を悪《にく》む。下《しも》に居て上《かみ》を訕《そし》る者を悪む。勇にして礼なき者を悪む。果《か》敢《かん》にして窒《ふさ》がる者を悪む。曰わく、賜《し》や亦た悪むこと有りや。徼《かす》めて以て知と為す者を悪む。不孫《ふそん》にして以て勇と為す者を悪む。訐《あば》きて以て直と為す者を悪む。

七　慈愛の心を持っているからといって何もかも許すというわけじゃないんだよ。慈愛の心を持っていればこそ、私利私欲に捉《と》らわれることなく、善《よ》い行いをしている者を本気で愛し、悪いことをしている者を本気で憎《にく》むことができるもんなんだよ。

（里仁第四―三）

子曰、惟仁者能好人、能惡人、

子曰わく、惟《た》だ仁者のみ能《よ》く人を好み、能く人を悪《にく》む。

八　あるお方が、「**徳**をもって**恨**《うら》みに**対**するというのはどうです。**立派**でしょう」と、さも**自分**が**実行**しているような**口振**りで**言**うからね、「では、**徳**に**対**してはどう**対応**なさるのですか。**恨**みには**公正無私**な**正義**をもって**対応**し、**徳**には**徳**をもって**対応**なさることですよ」と**答**えてやったよ。

（憲問第十四―三十六）

或曰、以徳報怨、何如、子曰、何以報徳、以直報怨、以徳報徳、

或るひと曰わく、徳を以て怨《うら》みに報《むく》ゆるは、何如《いかん》。子曰わく、何を以てか徳に報いん。直きを以て怨みに報い、徳を以て徳に報ゆ。

15　勇者と強者

一　わたしが**戯**《たわむ》れに、「**世**の**中**に**正**しい**政治**が**行**われそうにないから、いっそ**筏**《いかだ》でも**造**って**海外**に**行**くかね。まっ、そんな**冒険**に**付**いてくるのは**子路**《しろ》くらいのもんだろうけどね」と**言**ったことがあるんだよ。そうしたら、それを**聞**いた**子路**がすっかりその**気**になっちゃってね。で、「**お前**がわたし**以上**に**勇敢**なのは**承知**しているが、**筏**《いかだ》を**造**る**材料**が**得**られない

から、この話はナシにしたよ」と慌《あわ》てて打ち消したよ。ホントに勇《いさ》み肌《はだ》なやつだったよ、子路ってやつは。

（公冶長第五―七）

子曰、道不行、乗桴浮于海、従我者其由也與、子路聞之喜、子曰、由也、好勇過我、無所取材、

子曰わく、道行なわれず、桴《いかだ》に乗りて海に浮かばん。我れに従う者は、其れ由《ゆう》なるか。子路《しろ》これを聞きて喜ぶ。子曰わく、由や、勇を好むこと我れに過ぎたり。材を取る所なからん。

二　わたしが弟子の顔回《がんかい》に、「君主に用いられたなら大いに力を尽くすが、クビになったら不平も言わずに隠遁する。そんなことができるのは、わたしとお前くらいのものかね」と言ったことがあるんだよ。そうしたら傍《かたわ》らにいた弟子の子路《しろ》が嫉妬《しっと》しちゃってね、「もし先生が大軍を動かさなければならなくなったら、誰と共にしますか」とムキんなって訊《き》くから、「わたしは虎を素手でぶん殴ったり、大河を徒歩で渡ろうとするような振る舞いをして、挙げ句にそれで死んでも構わないというような無鉄砲な者とは行動を共にしないよ。何事にも慎重で、成功のために智恵を働かせる者となら一緒に行動してもいいがね」と、からかってやったことがあるよ。

子謂顔淵曰、用之則行、舍之則藏、唯我與爾有是夫、子路曰、子行三軍、則誰與、子曰、暴虎馮河、死而無悔者、吾不與也、必也臨事而懼、好謀而成者也、

子、顔淵に謂《い》いて曰わく、これを用うれば則ち行ない、これを舎《す》つれば則ち蔵《かく》る。唯《た》だ我れと爾《なんじ》と是れあるかな。子路曰わく、子、三軍を行なわば、則ち誰《たれ》と与《とも》にせん。子曰わく、暴虎馮河《ぼうこひょうが》して死して悔《く》いなき者は、吾れ与《とも》にせざるなり。必らずや事に臨《のぞ》みて懼《おそ》れ、謀《ぼう》を好みて成さん者なり。

（述而第七—十）

【解説】

○「暴虎馮河《ぼうこひょうが》」＝無謀な勇気の出典。

三　**わたしが「これまで本当に精神的に強い人物にお目にかかったことがないですね」と言ったら、あるお方が「お弟子の申棖《しんとう》さんがいるじゃないかね」と言うから、「彼にはまだ欲があります。欲を持っている間は真の強者とは言えません。欲と引き替えに誘惑に負けますから」とお答えしたよ。**

（公冶長第五—十一）

子曰、吾未見剛者、或對曰、

子曰わく、吾れ未《いま》だ剛者《ごうしゃ》を見ず。或るひと対《こた》えて曰わ

申棖、子曰、棖也慾、焉得剛、　く、申棖《しんとう》と。子曰わく、棖《とう》や慾あり。焉《いずく》んぞ剛なることを得ん。

【解説】

○申棖《とう》は孔子の弟子だが諸説があって不詳。

四　勇気ある者が不正や貧困を極度に憎《にく》むと、解決方法として暴力に訴えがちになる。人道に背《そむ》く者を極端に責め立てて追い込むと、逆恨《さかうら》みしてこれまた暴力沙汰になる。そうしたムダな流血をせずに世の中をいかに改善するか、その工夫が学問や政治の目的なんだよね。

子曰、好勇疾貧、亂也、人而不仁、疾之已甚、亂也、

子曰わく、勇を好みて貧しきを疾《にく》めば、乱《らん》す。人にして不仁なる、これを疾むこと已甚《はなは》だしければ、乱す。

（泰伯第八―十）

16　士

一　弟子の子貢《しこう》とこんな会話をしたよ。

「どういう人物なら士と呼べますか」

「国内においては、自ら省《かえり》みて恥ずかしくない行動をとり、諸外国に赴《おもむ》いては、君主を恥ずかしめぬように役割をキッチリと果たす。この二点ができれば士と呼べるだろうな」

「他にも条件がありましょうか」

「一族からは孝行者と呼ばれ、近隣の人々からは年長者を敬《うやま》うと評価されることかな」

「他には」

「言ったことは実行しようとし、行動がテキパキしている。コツンコツンと音がするような堅物《かたぶつ》であることも条件に加えていいだろうな」

「現在の政治家で士と呼べるような人物はいますか」

「やれやれ、あの連中ときたら、店先で量《はか》り売りされている豆粒のような小物《こもの》で、とてもじゃないが士の中には数えられないね」

（子路第十三―二十）

子貢問曰、何如斯可謂之士矣、子曰、行己有恥、使於四方不辱君命、可謂士矣、曰、敢問其次、曰、宗族稱孝焉、郷黨稱弟焉、曰、敢問其次、曰、

子貢問いて曰わく、何如《いか》なるをか斯《こ》れこれを士と謂うべき。子曰わく、己れを行なうに恥あり、四方に使いして君命《くんめい》を辱《はずか》しめざる、士と謂うべし。曰わく、敢《あ》えて其の次ぎを問う。曰わく、宗族《そうぞく》孝を称し、郷党弟《きょうとうてい》を称す。曰わく、敢えて其の次ぎを問う。曰わく、言《げん》必

言必信、行必果、硜硜然小人也、抑亦可以爲次矣、曰、今之從政者何如、子曰、噫、斗筲之人、何足算也、

ず信、行《こう》必らず果《か》、硜硜然《こうこうぜん》たる小人なるかな。抑々亦《そもそも》た以て次ぎと為すべし。曰わく、今の政に従う者は如《い》何《かん》。子曰わく、噫《ああ》、斗筲《としょう》の人、何ぞ算《かぞ》うるに足らん。

【解説】

◎「小人」は「小人物」というのが従来の訳だが、「堅物」と解した。

二　弟子の子路《しろ》が「どんな態度なら士と言えますか」と訊《き》くから、こう答えたよ。「ビシバシ・ニコニコなら士と言えるだろう。友人とはビシバシと励まし合い、兄弟とはニコニコ接することだよ」と。

（**子路第十三—二十八**）

子路問曰、何如斯可謂之士矣、子曰、切切偲偲怡怡如也、可謂士矣、朋友切切偲偲、兄弟怡怡如也、

子路問いて曰わく、何如《いか》なるをか斯《こ》れこれを士と謂うべき。子曰わく、切切偲偲《せつせつしし》怡怡如《いいじょ》たる、士と謂うべし。朋友には切切偲偲《せつせつしし》、兄弟《けいてい》には怡怡如《いいじょ》たり。

三　**士の立場にありながら、生活の安逸を願うようじゃホンモノの士なんかでないね。**

（憲問第十四―三）

子曰、士而懐居、不足以爲士矣、

子曰わく、士にして居《きょ》を懐《おも》うは、以て士と為《な》すに足らず。

【解説】

○里仁第四―九に類似のことばがある。

四　志《こころざし》の高い士人《しじん》や慈愛深い仁人《じんじん》は、我が身が大事で善行を躊躇したりはしないものさ。それどころか、善行のためには我が身を犠牲にすることすらあるもんだよ。

（衛霊公第十五―九）

子曰、志士仁人、無求生以害仁、有殺身以成仁、

子曰わく、志士仁人《ししじんじん》は、生を求めて以て仁を害すること無し。身を殺して以て仁を成すこと有り。

17　大人物《だいじんぶつ》と小人物《しょうじんぶつ》

一　**心の広い人物は話しぶりも穏やかで、表情や態度もゆったりとしているが、心の狭い者**

はいつもコセコセ・ビクビクしている。大人物と小人物の異《ちが》いは外見で分かるもんだよ。
（**述而第七―三十六**）

子曰、君子坦蕩蕩、小人長戚戚、

子曰わく、君子は坦《たいら》かに蕩蕩《とうとう》たり。小人は長《とこしな》えに戚戚《せきせき》たり。

【解説】

◎一般論として語られているが、あえて人物鑑定法として訳した。

二　**大人物は、人の長所を伸ばし、人の欠点を縮小する手助けをするが、ケチな小物《こもの》はその逆ばかりやりたがるね。**
（**顔淵第十二―十六**）

子曰、君子成人之美、不成人之悪、小人反是、

子曰わく、君子は人の美を成して、人の悪を成さず。小人《しょうじん》は是《こ》れに反す。

三　**大人物と称せられても、仁者の域に達していない者はいるだろうが、小人物で仁者なんていうのは絶対にいないね。**
（**憲問第十四―七**）

子曰、君子而不仁者有矣夫、未有小人而仁者也、

子曰わく、君子にして不仁なる者あらんか。未だ小人《しょうじん》にして仁なる者あらざるなり。

四　大人物は社会的な事柄や道義など大きな面に習熟するようになるが、小人物は個人的な事柄や損得などのこまごまとした面に習熟するものだよ。

（憲問第十四—二十四）

子曰、君子上達、小人下達、

子曰わく、君子は上達《じょうたつ》す。小人《しょうじん》は下達《かたつ》す。

【解説】

◎「上」「下」は「高級」「低級」というのが従来の訳だが、「大」「小」が相応しいだろう。

五　大人物はチマチマした仕事には向かないが、ここ一番の大仕事に能力を発揮するものだ。これに対し、小人物は大きな仕事をこなせないが、小さな仕事には存外能力を発揮するものだよ。

（衛霊公第十五—三十四）

子曰、君子不可小知、而可大受也、小人不可大受、而可小知也、

子曰わく、君子は小知すべからずして、大受すべし。小人《しょうじん》は大受すべからずして、小知すべし。

知也、

六　**弟子の子夏**《しか》**は学者としては優秀だが、あまりに細部にこだわるから、「お前は大きな学者になれよ。小さな学者になってはダメだよ」と諭**《さと》**してやったが、理解したろうかね。**

（雍也第六—十三）

子謂子夏曰、女爲君子儒、無爲小人儒、

子、子夏に謂いて曰わく、女《なんじ》、君子の儒《じゆ》と為《な》れ。小人の儒と為ること無かれ。

七　**真っ当な人間ならば、畏敬**《いけい》**する対象が三つあるよ。「天命」と「大人物」と「聖人のことば」の三つだ。ところが、ロクデナシときたら、天命という単語すら知らないから畏敬どころじゃない。大人物に対しては礼儀をわきまえず馴**《な》**れ馴**《な》**れしくするは、聖人のことばをチャカすはで、まったく目も当てられないときてる。**

（季氏第十六—八）

孔子曰、君子有三畏、畏天命、畏大人、畏聖人之言、小人不

孔子曰わく、君子に三畏《い》あり。天命を畏《おそ》れ、大人《たいじん》を畏れ、聖人の言を畏る。小人《しょうじん》は天命を知らずして畏れず、

知天命而不畏也、狎大人、侮聖人之言、　大人に狎《な》れ、聖人の言を侮《あなど》る。

八　顔つきはいかにも厳《いか》めしいが、内心のグズグズな者は、ロクデナシの位に喩《たと》えれば、ケチなこそ泥といったところだろうかね。

子曰、色厲而内荏、譬諸小人、其猶穿窬之盗也與、　子曰わく、色厲《はげ》しくして内荏《やわらか》なるは、諸《こ》れを小人《しょうじん》に譬《たと》うれば、其れ猶《な》お穿窬《せんゆ》の盗《とう》のごときか。

（陽貨第十七—十二）

【解説】

○昭和三十年代に放浪の貼り絵画家の山下清氏が、当時の名だたる人物を「兵隊の位」に換算して喝采を博したことがあった。

九　エセ紳士は、さしずめ道徳世界に侵入したコソ泥ってとこかね。

子曰、郷原徳之賊也、　子曰わく、郷原《きょうげん》は徳の賊なり。

（陽貨第十七—十三）

一　人から受けた慈愛に感謝し、自らも慈愛の心を持つ。つまり、我が身を仁の世界に置くというのは素晴らしいことなんだよ。そうした素晴らしい世界を選ばない者は、とても知者とは呼べないね。

（里仁第四―一）

子曰、里仁爲美、擇不處仁、焉得知、

子曰わく、仁に里《お》るを美《よ》しと為《な》す。択《えら》んで仁に処《お》らずんば、焉《いずく》んぞ知たるを得ん。

二　仁者でないと長くは逆境に耐えられないし、安楽な生活にもダレてしまって身を保てないものだ。仁者はいかなる境遇にも安住できる心を養うために修養に励むが、なまじ頭のよい知者は何か利益を求めて修養に励もうとするから、いざとなると、やっぱり差がでるね。

（里仁第四―二）

子曰、不仁者不可以久處約、不可以長處樂、仁者安仁、知

子曰わく、不仁者《ふじんしゃ》は以て久しく約に処《お》るべからず。以て長く楽しきに処るべからず。仁者は仁に安んじ、知《ち》

者利仁、

者《しゃ》は仁を利とす。

三　知者は川のような流れ動くものに心を惹《ひ》かれるが、仁者は山のようにどっしりとしたものと我が身を一体化させるものだよ。知者は絶えず頭脳を回転させており、仁者は心を静かに保っているから、自ずと川と山とに感応が分かれるんだろうね。さらに言えば、知者は自らを楽しませることを知っているが、仁者はそこに居るすべての人を楽しませ、生き生きとさせることができるものだよ。

（雍也第六―二十三）

子曰、知者樂水、仁者樂山、知者動、仁者静、知者樂、仁者壽、

子曰わく、知《ち》者《しゃ》は水を楽しみ、仁者は山を楽しむ。知者は動き、仁者は静かなり。知者は楽しみ、仁者は寿《ことほ》ぐ。

【解説】

◎「壽」は「いのちながし」と読み「仁者は長生きする」というのが従来の訳だが、私は「ことほぐ」と読み「相手の長寿を祝う」から転じて「喜び楽しませ長寿にする」の意に解した。

四　知者は智恵があるからあれこれ迷うことが少ないし、仁者は日頃から相互扶助を実践し

ているから、いたずらに不安がらずにすむ。**勇者は事に当たって恐れない。知・仁・勇の三つを身につければ鬼に金棒だね。**

（**子罕第九—三十**）

子曰、知者不惑、仁者不憂、勇者不懼、

子曰わく、知者《ちしや》は惑《まど》わず、仁者は憂えず、勇者は懼《おそ》れず。

【解説】

○憲問第十四—三十に同様のことばが繰り返されている。

五　弟子の宰我《さいが》が、「仁者は井戸に人が落ちていると言われたら、すぐに駆けつけて井戸に飛び込みますか」と訊《き》くから、「バカ言っちゃいけないよ。仁者を井戸まで駆け寄らせることはできても、騙《だま》して飛び込ませることなど出来るもんかね。お前は仁を目指すと、人に騙されて損をするんじゃないかと潜在意識で思っているから、そんな愚問を発しているんじゃあるまいね」とクギを刺してやったよ。

（**雍也第六—二十六**）

宰我問曰、仁者雖告之曰井有仁者焉、其從之也、子曰、何

宰我《さいが》、問うて曰わく、仁者はこれに告げて、井《せい》に仁《じん》ありと曰うと雖ども、其れこれに従わんや。子曰わく、

爲其然也、君子可逝也、不可陥也、可欺也、不可罔也、
なんすれぞ其れ然らん。君子は逝《ゆ》かしむべきも、陥《おとしい》るべからざるなり。欺《あざむ》くべきも、罔《し》うべからざるなり。

【解説】

◎宰我の質問がとっぴなので諸説がある。吉田賢抗氏は、宰我の質問は婉曲に孔子を諫《いさ》めたものである可能性があるとしており、おそらくそれが正しいのだろうが、あえて一般論として蛇足を加えて訳した。

六　弟子の子張《しちょう》が「善人の道とはどのような道ですか」と質問したので、「まだ道の先端が仁の領域にはつながっていない道さ。だから、善の道を歩みきったとしても、そこから一飛躍しないことには仁に到達することはできないのさ」と教えてやったよ。

（先進第十一―二十）

子張問善人之道、子曰、不践迹、亦不入於室、
子張、善人の道を問う。子曰わく、迹《あと》を践《ふ》まず、亦た室に入らず。

【解説】

◎「不践迹」は「先賢の迹を踏まない」というのが従来の訳だが、意味が取りにくいので、「到達していない」と解した。

19　友人と交際

一　有益な友人が三種、有害な友人が三種あるよ。正直者と誠実者と物知りを友人にするのが有益な三種。見栄っ張りとゴマスリと口達者を友人にするのが有害な三種だ。

（季氏第十六—四）

孔子曰、益者三友、損者三友、友直、友諒、友多聞、益矣、友便辟、友善柔、友便佞、損矣、

孔子曰わく、益者《えきしゃ》三友、損者三友。直《なお》きを友とし、諒《まこと》を友とし、多聞を友とするは、益なり。便辟《べんぺき》を友とし、善柔を友とし、便佞《べんねい》を友とするは、損なり。

二　孤立を恐れるんじゃないよ。正しいことをしていれば、必ず同調者が現われるからね。

（里仁第四—二十五）

子曰、徳不孤、必有鄰、

子曰わく、徳は孤《こ》ならず。必らず鄰《となり》あり。

三　弟子の子貢《しこう》が「友達とのつき合いはどうあるべきしょうか」と訊《き》いたので、「そうさな、過《あやま》ちがあった時には心から忠告して善《よ》い方向へ導くべきだが、聞き入れられない場合には、

無理強《じ》いをしないで見守ることだね。喧嘩になって互いに侮辱し合うようになっては元も子もないからね」と忠告してやったよ。

（顔淵第十二―二十三）

子貢問友、子曰、忠告而以善道之、不可則止、無自辱焉、

子貢、友を問う。子曰わく、忠告して善を以てこれを道びく。不可《ふか》なれば則ち止《や》む。自ら辱《はずかし》めらるること無かれ。

四　正道を歩む話でなければ、相談に応じぬこと。

（衛霊公第十五―四十）

子曰、道不同、不相爲謀、

子曰わく、道同じからざれば、相い為めに謀《はか》らず。

【解説】

◎「道不同」は「道や目的が同じでない」というのが従来の訳だが、それでは不十分だろう。

五　独立独歩の者は、人と協調しても付和雷同しないものだ。自分を見失っている小物たちはすぐに群れるが、協調することはしないもんさ。

（子路第十三―二十三）

子曰、君子和而不同、小人同而不和、

子曰わく、君子は和して同《どう》ぜず、小人は同じて和せず。

【解説】

○フランスの哲学者アンリ・ベルグソン（一八五九～一九四一）は「水草が嵐に耐えられるのは、群れているためでなく、それぞれが根を水中深く下ろしているためだ」と指摘している。

六　ひとかどの人物は独立独歩だが、ザコは持たれ合いがお得意だ。

（衛霊公第十五―二十一）

子曰、君子求諸己、小人求諸人、

子曰わく、君子は諸《こ》れを己れに求む。小人《しょうじん》は諸れを人に求む。

七　立派な人物は沈着冷静で我を忘れて争うことなどしないもんさ。人と協調するが、派閥活動などしやせんよ。

（衛霊公第十五―二十二）

子曰、君子矜而不争、羣而不黨、

子曰わく、君子は矜《きょう》にして争わず、群して党《とう》せず。

孔子画像　戴進　（財）斯文会蔵

孔子は、政治家としては敗北者であり挫折者とみなされている。だが、孔子に言わせれば、孔子を政治的敗北者とみなす「結果」重視の現代人こそを真の敗北者であると逆批判するだろう。政治家としての孔子は自説を押し通し少しも妥協しなかった。「過程（手段）」を重視する孔子にとって、過程において道徳的主張を押し通せた自身の政治的活動は、大成功ではないにせよ、失敗とはみなされていないのだ。

1　国の体裁《ていさい》

一　周《しゅう》王朝の文化は夏《か》王朝と殷《いん》王朝の文化を受け継ぎ、まことに華《はな》やかで麗《うるわ》しい。わたしにとっては、文化国家でなければ国家の名に値《あた》いしないね。

（**八佾第三―十四**）

子曰、周監於二代、郁郁乎文哉、吾從周、

子曰わく、周は二代に監《かんが》みて郁郁乎《いくいくこ》として文なるかな。吾れは周に従わん。

【解説】

○孔子にとって軍事国家は、国家以前の未熟な状態を意味していた。

2　愛国心と郷土愛

一　**わたしでもね、君主が亡命している我が国の乱れが厭《いや》になって、国を捨てようと思ったことがあるんだよ。隣の花は赤いというだろう。よその未開の君主国の方がわが魯《ろ》国より素晴らしく見えたのさ。でも、すぐに気の迷いであることに気づいたよ。まだまだ、わが魯国も捨てたものではないとね。ものごとの否定面にばかりに目を向けていてはダメだよ。わずかでも残っている長所を見つけて、それを押し広げていく努力をしなくてはね。**

（八佾第三—五）

子曰、夷狄之有君、不如諸夏之亡也、

子曰わく、夷狄《いてき》の君あるは、諸夏《しょか》の亡《な》きに如《し》かず。

【解説】

○「未開国で君主のあるのは中国で君主のないのに及ばない」というのが従来の訳だが、それでは孔子が中華思想の元祖であるというに等しい。第一節の訳は貝塚茂樹氏の説に由った。

○中国の国名の「中華」というのは世界の真ん中の花のように美しいという意味であり、漢民族は古来より四方を未開人とみなしていた。「東夷」「西戎」「南蛮」「北狄」の他に、「胡」も「東洋」も蔑称である。ちなみに現代中国で「東洋鬼子《トンヤングエイツ》」とは日本人に対する蔑称である。

二　**わたしが二度目の亡命をして陳《ちん》の国に滞在していた折りのことだったがね、突然、望郷の念がこみ上げてきて、思わずこう叫んじまったよ。**
「帰ろう、帰るぞ！　わが祖国へ。わが郷土の若者たちは、大いなる志《こころざし》と彩《あや》なす素質に恵まれているが、それをどう裁断して立派な衣服に仕立ててよいものやら途方にくれている。わたしが戻って指導せねば！」
思えば、あれがわたしの政治家から教育家への大回心だったよ。

（公冶長第五―二十二）

子在陳曰、歸與歸與、吾黨之小子狂簡、斐然成章、不知所以裁之也、

子、陳《ちん》に在りて曰わく、帰らんか、帰らんか。吾が党《とう》の小子《しょうし》、狂簡、斐然《ひぜん》として章を成す。これを裁《さい》する所《ゆ》以《えん》を知らざるなり。

三　**一番若い弟子グループに属する子賤《しせん》は、これぞ君子と呼べる人物だよ。わが魯《ろ》国に君子がいなければ彼のような人物は育ちっこないよ。わが祖国もまだまだ大したものだと大い**

に意を強くしている次第さ。

（**公治長第五—三**）

子謂子賤、君子哉若人、魯無君子者、斯焉取斯、

子、子賤《しせん》を謂わく、君子なるかな、若《かくのごと》き人。魯《ろ》に君子なかりせば、斯《こ》れ焉《いず》くにか斯《こ》れを取らん。

【解説】

○子賤は孔子より四十九歳若い。姓は宓《ふく》、名は不斉、字は子賤。

四　戸数十戸くらいの小さな村にもわたしと同じ程度に信義の篤《あつ》い者はいるだろう。となれば、わたしと同様に学問を好み、わたしと同様の考えに到達した者もきっといるに違いない。だからね、わたしは我が国の前途を少しも悲観していないのさ。

（**公治長第五—二十八**）

子曰、十室之邑、必有忠信如丘者、焉不如丘之好學也、

子曰わく、十室の邑《ゆう》、必ず忠信、丘《きゅう》が如き者あらん。焉《いず》んぞ丘の学を好むに如《し》かざらんや。

【解説】

◎この章句は、前章句と異曲同工と解し蛇足を加えて訳した。

五　隣国の斉《せい》も少し変われば、わが魯国《ろ》のように文化的になれるさ。魯国は、あとほんの少し変われば、道徳的国家になれるんだ。

（**雍也第六―二十四**）

子曰、齊一變至於魯、魯一變至於道、

子曰わく、斉《せい》、一変せば魯《ろ》に至らん。魯、一変せば道に至らん。

3　政治の根本

一　国のような大きな組織でも、運営するには、互いの仕事に敬意を表し、信頼関係を築くことが基本だよ。物を大切にし、人には愛情を注ぐこと。国民を動かすには、自分の都合ばかりを考えずに、国民の準備が整ったのを見計らって命じるのが秘訣だね。

（**学而第一―五**）

子曰、道千乘之國、敬事而信、節用而愛人、使民以時、

子曰わく、千乗《せんじょう》の国を道びくに、事を敬《けい》して信、用を節して人を愛し、民を使うに時を以てす。

【解説】

○孔子にとっては、家庭を営むのも、国を治めるのも同じことで、総ては日常生活の延長線上にあ

ると考えていた。その日常生活の根幹が個人同士の信頼関係である。

○「千乗国」は戦車千台を保有する中規模の国家。

二　**弟子の子貢《しこう》が「政治の基本は何ですか」と質問したので、「食糧の充足・軍備の充実・政治家と国民との信頼関係の三つだよ」と答えたんだ。すると、「その三点の中で、どうしてもやむを得ない場合には、どれを犠牲にしたらよいものでしょうか」と訊《き》くから、「まあ、軍備だろう」と答えたんだ。すると、「残った二点の中で、どうしてもやむを得ない場合には、どっちを犠牲にしましょうか」と訊《き》くから、「食糧だ。食糧の充足を欠けば人民は餓《う》えて死者が出るかもしれない。しかし、人にとって死は遅かれ早かれ免《まぬか》れないものだ。政治家と国民の信頼関係さえあれば、弱くても貧しくても国を維持できるが、信頼関係がなければ、どれほど強く豊かでも国を維持できないよ」と答えたよ。**

（顔淵第十二―七）

子貢問政、子曰、足食足兵、民信之矣、子貢曰、必不得已而去、於斯三者、何先、曰去兵、曰必不得已而去、於斯二

子貢《しこう》、政を問う。子曰わく、食を足《た》し兵を足し、民をしてこれを信ぜしむ。子貢曰わく、必らず已《や》むを得ずして去らば、斯《こ》の三者に於いて何をか先きにせん。曰わく、兵を去らん。曰わく、必らず已むを得ずして去

者、何先、曰去食、自古皆有
死、民無信不立、

らば、斯の二者に於いて何をか先きにせん。曰わく、
食を去らん。古《いにし》えより皆な死あり、民は信なくんば立
たず。

【解説】

○『礼記―王制第五』によると、国に九年分の備蓄がないのを不足といい、六年分の備蓄のないのを危急といい、備蓄が三年分に満たないのは国にして国に非ずという。

三　**弟子の子張《しちょう》とこんな問答をしたよ。**

「どうすれば政治にたずさわれますか」

「五美を尊び、四悪を斥《しりぞ》けることだ」

「何ですか、それは」

「人民にたいしては、費用をかけずに恩恵を与える。グチを言わずに働かせる。人を押しのけずに欲張らせる。どっしりとしていて威張らない。威厳はあっても怖《こわ》がらせない。この五つが五美だよ」

「費用をかけずに恩恵を与えるというのは、どうするのですか」

「農地開発や水利工事のような人民の利益となる事業をするのがそれだよ。それなら、結

果的に税収も上がって出費はすぐに回収できるし、人民は率先して働き、グチも言わず、恨《うら》まれることもないだろう。次に、人民が仁を求めるように教育すれば、人民は競《きそ》って仁を求めるようになるが、仁は枯渇《こかつ》するものでないから、人を押しのける必要はないだろう。上に立つ者は、相手が多人数でも少人数でも、大物でも小物でも対等に扱って侮《あなど》らない。これが、どっしりしていて威張らないということだ。また、きちんとした服装をして、表情を厳《おごそ》かにしていれば、人民は一目見て畏敬《いけい》するが恐れはしない。以上が五美の効用だよ」

「分かりました。では四悪とは何ですか」

「人民に教育も施さずに、犯罪を犯したら即死刑にする。これは虐殺だろう。事前に警告もしないで取り締まる。これは暴力だろう。法令を勝手に変えて収奪する。これは盗賊行為だろう。出すべき費用を出さずにケチる。これは小役人根性というものだ。以上が四悪さ」

（堯曰第二十―四）

子張問政於孔子、曰、何如斯可以従政矣、子曰、尊五美屏四悪、斯可以従政矣、子張曰、何謂五美、子曰、君子恵而不費、労而不怨、欲而不貪、泰

子張、孔子に問いて曰わく、何如《いか》なれば斯《こ》れ以て政に従うべき。子曰わく、五美を尊び四悪を屏《しりぞ》ければ、斯《こ》れ以て政に従うべし。子張曰わく、何をか五美と謂う。子曰わく、君子、恵《けい》して費《つい》えず、労して怨みず、欲して貪《むさぼ》らず、泰《ゆたか》にして驕《おご》らず、威にして猛《たけ》からず。子張

而不驕、威而不猛、子張曰、何謂恵而不費、子曰、因民之所利而利之、斯不亦恵而不費乎、擇其可勞而勞之、又誰怨、欲仁而得仁、又焉貪、君子無衆寡、無小大、無敢慢、斯不亦泰而不驕乎、君子正其衣冠、尊其瞻視儼然、人望而畏之、斯不亦威而不猛乎、子張曰、何謂四悪、子曰、不教而殺、謂之虐、不戒視成、謂之暴、慢令致期、謂之賊、猶之與人也、出内之吝、謂之有司、

曰わく、何をか恵して費えずと謂う。子曰わく、民の利とする所に因《よ》りてこれを利す、斯れ亦た恵して費えざるにあらずや。其の労すべきを択《えら》んでこれに労す、又た誰をか怨みん。仁を欲して仁を得たり、又た焉《なに》をか貪らん。君子は衆寡と無く、小大と無く、敢《あ》えて慢《あなど》ること無し、斯れ亦た泰にして驕らざるにあらずや。君子は其の衣冠《いかん》を正しくし、其の瞻視《せんし》を尊くして儼然《げんぜん》たり、人望みてこれを畏る、斯れ亦た威にして猛《たけ》からざるにあらずや。子張曰わく、何をか四悪と謂う。子曰わく、教えずして殺す、これを虐《ぎゃく》と謂う。戒めずして成るを視る、これを暴と謂う。令を慢《ゆる》くして期を致す、これを賊と謂う。猶《ひと》しく人に与うるに出内《すいとう》の吝《やぶさか》なる、これを有司《ゆうし》と謂う。

四　弟子の子張《しちょう》が「政治の根本は何でしょうか」と訊《き》くので、「自分の地位や権限に対する慣れや倦怠《けんたい》でおざなりな決定をしないことだよ。決定事項を実施するに際しては誠心誠意

をもって事に当たることだ」と教えてやったよ。

（顔淵第十二―十四）

子張問政、子曰、居之無倦、行之以忠、

子張、政《せい》を問う。子曰わく、これに居りては倦《う》むこと無く、これを行なうには忠を以てす。

五　弟子の子路《しろ》が「政治はどう行うべきでしょうか」と訊《き》くから、「人民に率先して働き、人民をいたわることだね」と答えると、「いま一言」と言うから、「少しばかりやって上手《うま》くいかないからと、政策をコロッコロ変えないことだ」と教えたよ。

（子路第十三―一）

子路問政、子曰、先之勞之、請益、曰、無倦、

子路、政を問う。子曰わく、これに先きんじ、これを労す。益《えき》を請《こ》う。曰わく、倦《う》むこと無かれ。

【解説】

◎顔淵十二―十四にも「無倦」とあるが訳し分けた。

六　弟子の子夏《しか》が莒父《きよほ》の町の代官になった時に、「政治はどう行えばよろしいのでしょうか」と訊《き》きに来たので、「急いで成果を上げようとしないこと。それと小さな利益に目を奪わ

れないことだ。あせれば手抜かりをするし、小さな利益に捉《と》らわれると大きな仕事ができなくなるからね」と教えてやったよ。

（**子路第十三―十七**）

子夏爲莒父宰、問政、子曰、毋欲速、毋見小利、欲速則不達、見小利則大事不成、

子夏、莒父《きよほ》の宰《さい》と為《な》りて、政を問う。子曰わく、速《すみや》かならんと欲すること毋《な》かれ。小利を見ること毋かれ。速かならんと欲すれば則ち達せず。小利を見れば則ち大事成らず。

七　あるお方が「あなたはどうして政治にたずさわらないのかね」と質問したので、「書経《しよきよう》にも書かれているように、親孝行も兄弟とのつき合いも、個人的な小さな行為に見えながらすべて政治につながることです。政治というと政治家や役人にならないとできないと考えるのは大間違いですよ」とご返事したよ。

（**為政第二―二十一**）

或謂孔子曰、子奚不爲政、子曰、書云、孝于惟孝、友于兄弟、施於有政、是亦爲政也、

或るひと孔子に謂いて曰わく、子奚《しなん》ぞ政《せい》を為《な》さざる。子曰わく、書に云《い》う、孝なるかな惟《こ》れ孝、兄弟《けいてい》に友《ゆう》に、有政《ゆうせい》に施すと。是れ亦《ま》た政を為すなり。奚ぞ其れ政を

奚其爲爲政、　　　　為すことを為さん。

【解説】

○『書経』は中国の古典史書。『尚書』とも単に『書』ともいう。

○孔子には公私の別がなかった。南宋の学者朱熹《しゅき》が編纂した『大学』に説かれている「修身」（身を修める）・「斉家」（家を斉《ととの》える）・「治国」（国を治める）・「平天下」（天下を平らぐ）の総てが、孔子にとっては政治を行うことと同義だった。

4　政治家の資質

一　**家老の季康子《きこうし》殿が「子路《しろ》に政治をまかせられるだろうか」と問うから、「弟子の子路は決断力に富んでいますから、政治などわけないことです」とお答えしたよ。そうしたら、「子貢《しこう》は」と問うから、「弟子の子貢は先見の明に富みますから、政治などわけないことです」とお答えしたよ。そうしたら、「冉有《ぜんゆう》は」と問うから、「弟子の冉有は学芸の才に富んでいますから、政治などわけないことです」とお答えしたよ。決断力は現在に対する対応、先見の明は未来に対する対応、学芸の才は過去に対する対応だ。過去と現在と未来の三者に対する対応力がすべて備わっていれば完璧だが、一つでも備わっていれば政治をとるこ**

となどわけないことだよ。

（雍也第六—八）

季康子問、仲由可使従政也與、子曰、由也果、於従政乎何有、曰、賜也可使従政也與、子曰、賜也達、於従政乎何有、曰、求也可使従政也與、子曰、求也藝、於従政乎何有、

季康子《きこうし》、問う、仲由《ちゅうゆう》は政に従わしむべきか。子曰わく、由や果《か》、政に従うに於《お》いてか何か有らん。曰わく、賜《し》は政に従わしむべきか。曰わく、賜や達《たつ》、政に従うに於いてか何か有らん。曰わく、求《きゅう》は政に従わしむべきか。曰わく、求や藝あり、政に従うに於いてか何か有らん。

【解説】

◎従来の訳では、三人の長所の意味が不明なので、蛇足を加えて訳した。

二　弟子の子路《しろ》がね、後輩弟子の高柴《こうさい》を費《ひ》の町の代官に推薦しようとしたことがあったんだよ。そこでわたしが「彼はまだ修行中の身だし、せっかくの伸び盛りをダメにしてまうから」と反対したのさ。そうしたら子路のやつ、「費には人民も社《やしろ》もあります。本を読んで学ぶばかりが学問でないでしょう。実地練習の絶好の機会じゃないですか」と反論してね。そこで怒鳴《どな》りつけてやったんだ。「このバカ。口先ばかり小器用《こぎよう》になりやがって。だから

口達者なやつは嫌いなんだ。練習台にされる人民のことを考えたことがあるのか！」とね。
（先進第十一—二十五）

子路使子羔爲費宰、子曰、賊夫人之子、子路曰、有民人焉、有社稷焉、何必讀書然後爲學、子曰、是故惡夫佞者、

子路、子羔《しこう》をして費《ひ》の宰《さい》たらしむ。子曰わく、夫《か》の人の子《こ》を賊《そこな》わん。子路曰わく、民人あり、社稷《しゃしょく》あり、何ぞ必らずしも書を読みて然《しか》る後《のち》に学と為《な》さん。子曰わく、是《こ》の故に夫《か》の佞者《ねいじゃ》を悪《にく》む。

【解説】

◎従来の訳ではなぜ孔子が怒ったのか判然としないので、蛇足を加えて訳した。

三　**斉《せい》国の君主の景公《けいこう》様が「政治はいかにあるべきかね」とお訊《たず》ねになったので、「君主は君主らしく、家臣は家臣らしく、父は父らしく、子は子らしく、おのおの本分を尽くすことです」とお答えしたら、「そうか、その通りだよな。そうしてくれなかったら、お米があっても、わしの口にまで届かんもんね」と答えられた。「君主は君主らしく」を強調したのに、とんだ結果に終わっちまったよ。**
（顔淵第十二—十一）

齊景公問政於孔子、孔子對曰、

斉《せい》の景公、政《せい》を孔子に問う。孔子対《こた》えて曰わく、君

君君、臣臣、父父、子子、公曰、善哉、信如君不君、臣不臣、父不父、子不子、雖有粟、吾豈得而食諸、

君たり、臣 臣たり、父 父たり、子 子たり。公曰わく、善いかな。信《まこと》に如《も》し君 君たらず、臣 臣たらず、父 父たらず、子 子たらずんば、粟《ぞく》ありと雖ども、吾れ豈《あ》に得て諸《こ》れを食らわんや。

【解説】

◎「安心して食事がとれない」というのが従来の訳だが、もう少しトンチンカンな答として訳した。

四　家老の季康子《きこうし》殿が「政治はどう行ったらよいか」と訊《たず》ねられたので、「政は正と同じ意味です。あなた様が率先して正義を行えば、国民はみな正義を行うようになるでしょう」とお答えしたよ。

（顔淵第十二―十七）

季康子問政於孔子、孔子對曰、政者正也、子帥而正、孰敢不正、

季康子、政《せい》を孔子に問う。孔子対《こた》えて曰わく、政とは正なり。子帥《ひき》いて正しければ、孰《たれ》か敢《あ》えて正しからざらん。

【解説】

○季康子は哀公の四年（孔子六十二歳）に父季桓子の跡を継いだ魯の国の実力者である。魯の三桓

（三家老）の一家で姓は季孫。孔子は『論語』の他の箇所でも彼の専横ぶりを批判している。

五　弟子の仲弓《ちゆうきゆう》が家老の季氏の領地の代官になった時に、「政治をどうやったらよいものでしょうか」と訊《き》きに来たので、「人材を集めることだね。部下の小さな過失に捉《と》らわれ過ぎることなく、有能な者を抜擢《ばつてき》することだよ」とアドバイスしたんだ。すると「どうやったら有能な人材の存在を知ることができますか」と訊《き》くから、「まずは、お前が知っている身の回りの有能者を抜擢《ばつてき》するがいい。お前が有能者を求めていると知ったなら、お前が知らない有能者は他の人に推薦されて次々にやって来るようになるよ」と教えてやったよ。

（子路第十三―二）

仲弓爲季氏宰、問政、子曰、先有司、赦小過、擧賢才、曰、焉知賢才而擧之、曰、擧爾所知、爾所不知、人其舍諸、

仲弓、季氏の宰《さい》と為《な》りて、政を問う。子曰わく、有司《ゆうし》を先きにし、小過《しようか》を赦《ゆる》し、賢才を挙げよ。曰わく、焉《いず》くんぞ賢才を知りてこれを挙げん。曰わく、爾《なんじ》の知る所を挙げよ。爾の知らざる所、人其れ諸《こ》れを舍《す》てんや。

六　弟子の子路《しろ》とこんなやり取りをしたことがあるよ。「もしも衛《えい》の君主に招かれて政治を任《まか》せられたなら、先生は何から始めますか」

「官職の名前を点検して正しい名前にし、権限をきちんと文章化することかな」

「そんなことを最初になさるんですか。だから先生は遠回りだと言われちゃうんですよ。役職名など、どうだっていいじゃないですか」

「相変わらずの野蛮人だね、お前ってやつは。文化人は自分が知らないことに関しては口を噤《つぐ》んでいるもんだよ。官職の名前や権限がきちんとしていなければ、命令がきちんと伝わらないじゃあないか。命令がきちんと伝わらなければ、社会秩序は生まれない。社会秩序が生まれなければ、人民が共有する社会規範も育たない。社会規範が育たなければ、裁判だって行えないじゃないか。裁判が行えないなら、国民はのんびり手足を伸ばしてくつろぐことすら出来やしないだろう。だから、道理の分かった政治家は、まず名称を正しくする。次に命令を発して施行する。そうすれば、出しっぱなしで終わるような法律もなくなるんだよ。政治家というものは言葉を決して軽々しく扱ってはならないもんだぞ」

（子路第十三―三）

子路曰、衛君待子而爲政、子將奚先、子曰、必也正名乎、子路曰、有是哉、子之迂也、奚其正、子曰、野哉由也、君

子路曰わく、衛《えい》の君、子を待ちて政を為《な》さば、子将《まさ》に奚《なに》をか先きにせん。子曰わく、必らずや名を正さんか。子路曰わく、是れ有るかな、子の迂《う》なるや。奚《なん》ぞ其れ正さん。子曰わく、野《や》なるかな、由《ゆう》や。君子は其の知

子於其所不知、蓋闕如也、名不正則言不順、言不順則事不成、事不成則禮樂不興、禮樂不興則刑罰不中、刑罰不中則民無所措手足、故君子名之必可言也、言之必可行也、君子於其言、無所苟而已矣、

らざる所に於《お》いては、蓋闕如《かつけつじょ》たり。名正しからざれば則ち言《げん》順《したが》わず、言順わざれば則ち事成らず、事成らざれば則ち礼楽《がく》興《お》こらず、礼楽興こらざれば則ち刑罰中《あた》らず、刑罰中《あた》らざれば則ち民《たみ》手足を措《お》く所なし。故に君子はこれに名づくれば必らず言うべきなり。これを言えば必らず行なうべきなり。君子、其の言に於いて、苟《いやし》くもする所なきのみ。

【解説】

◎従来の訳では「名」や「言」が分かり難いので具体的に訳し、全体を政治論と解して「君子」を「政治家」と訳した。

七　もしも有徳の王者が現れて政治を行ったなら、一代三十年間の治世で理想的な社会が実現するだろうね。

（子路第十三—十二）

子曰、如有王者、必世而後仁、

子曰わく、如《も》し王者あらば、必らず世《よ》にして後《のち》に仁ならん。

【解説】

○「王者」は本来は「オウシャ」と清音で読む。反対が「覇者」

5 民心の掌握

一 **政治の根幹は、戦略や駆け引きなどでなく、道義だよ。そうすりゃ、黙っていたって北極星を中心に星が集まるように誰もが慕《した》い寄ってくるさ。**

（**為政第二―一**）

子曰、爲政以徳、譬如北辰居其所、而衆星共之、

子曰わく、政《せい》を為《な》すに徳を以てすれば、譬《たと》えば北辰《ほくしん》の其の所に居《い》て衆星《しゅうせい》のこれに共《むか》うがごとし。

二 **政治家が日頃から正しい行動をしていれば、国民に命令など出さなくたって社会秩序は保たれるが、政治家がデタラメな行為をしていたんでは、どんなに厳《きび》しく命令したって国民はついてこないよ。**

（**子路第十三―六**）

子曰、其身正、不令而行、其

子曰わく、其の身正しければ、令せざれども行なわる。

身不正、雖令不從、

其の身正しからざれば、令すと雖ども従わず。

三　哀公《あいこう》様が「どうすれば国民がわしに服従しますかな」とお訊《たず》ねになったので、「実直な人物を引き上げて、おべっか遣《づか》いの上に置けばよろしいのです。その逆をなさっていたのでは国民はついてきませんよ」とお答えしたがね、なんだか煙たい顔をなさっていらしたよ。

（為政第二―十九）

哀公問曰、何爲則民服、孔子對曰、擧直錯諸枉、則民服、擧枉錯諸直、則民不服、

哀公問うて曰わく、何《なに》を為《な》さば則ち民《たみ》服せん。孔子対《こた》えて曰わく、直《なお》きを挙げて諸《こ》れを枉《まが》れるに錯《お》けば則ち民服す。枉れるを挙げて諸れを直きに錯けば則ち民服せず。

四　家老の季康子《きこうし》殿が「どうすれば領民が忠実で仕事熱心になりますかな」とお訊《たず》ねになるから、「あなた様が敬虔《けいけん》な態度をとり、親孝行をなさり、幼少のものをいたわり、善人を引き上げ、才能の乏《とぼ》しいものを教え導いていけば、領民はこぞってあなた様に忠実で仕事熱心になりましょう」とお答えしたが、その気になられた様子はなかったな。

季康子問、使民敬忠以勸、如之何、子曰、臨之以莊則敬、孝慈則忠、擧善而教不能則勸、

（為政第二―二十）

季康子《きこうし》問う、民をして敬忠にして以て勧《すす》ましむるには、これを如何《いかん》。子曰わく、これに臨《のぞ》むに荘《そう》を以てすれば則ち敬す、孝慈《こうじ》なれば則ち忠あり、善を挙げて不能《ふのう》を教うれば則ち勧《すす》む。

五　政治家が国民を自分の言いなりにすることは容易にできるが、国民が政治家の真の意図を知るのはなかなか困難なものだ。そこを悪用して、愚《おろ》かな政治家は国民を言いなりにして喜んでいるが、そんなことをしているから、イザという時に国民にしっぺ返しを喰《く》うんだよ。

子曰、民可使由之、不可使知之、

（泰伯第八―九）

子曰わく、民はこれに由《よ》らしむべし。これを知らしむべからず。

【解説】

◎従来の訳は主語を一つにしているが、主語を「政治家」と「国民」の二つに解して訳した。

六　政治家となった弟子の樊遅《はんち》がね、「穀物の育て方を教えてください」とやって来たから、「わたしは老農夫におよばないから」と断《ことわ》ったんだ。そうしたら、「では、せめて野菜づくりを」と言うから、「野菜も、専門家にはおよばないよ」と断《ことわ》ったんだ。樊遅《はんち》は不満顔で帰っていったが、樊遅《はんち》もまだまだ小物《こもの》だね。政治家が礼儀正しくすれば、領民は尊敬するだろうし、正義を好めば、従うし、誠実であれば、真心《まごころ》を尽くすようになるだろうよ。そうなれば、近隣の住民までもが赤子《あかご》を背負ってでも慕《した》い寄って来るようになるさ。政治家が田んぼや畑に出て、稲刈りや草むしりをすれば、一時の人気取りにはなるかもしれないが、そんなことに力をそそぐのは見当違いも甚《はなは》だしいね。

（子路第十三―四）

樊遲請學稼、子曰、吾不如老農、請學爲圃、子曰吾不如老圃、樊遲出、子曰、小人哉樊須也、上好禮、則民莫敢不敬、上好義、則民莫敢不服、上好信、則民莫敢不用情、夫如是、則四方之民、襁負其子而至矣、

樊遅《はんち》、稼《か》を学ばんと請う。子曰わく、吾れ老農に如《し》かず。圃《ほ》を為《つく》ることを学ばんと請う。曰わく、吾れは老圃に如《し》かず。樊遅出《い》ず。子曰わく、小人《しょうじん》なるかな、樊《はん》須《す》や。上《かみ》礼を好めば、則ち民は敢《あ》えて敬せざること莫《な》し。上義を好めば、則ち民は敢えて服せざること莫し。上信を好めば、則ち民は敢えて情を用いざること莫し。夫れ是《か》くの如くんば、則ち四方の民は其の子を襁負《きょうふ》し

焉用稼、　　　　　　　　　　　　　　て至らん。焉《いずく》んぞ稼を用いん。

七　楚《そ》の国の葉県《しょう》の長官が「政治はどうあるべきか」と質問されたので、「近隣の人々が悦《よろこ》び、それを知った遠くの人々が慕《した》い寄って来るようになさることです」とお答えしたよ。その逆をしていたからね。

（子路第十三―十六）

葉公問政、子曰、近者説、遠者來、　葉公《しょうこう》、政を問う。子曰わく、近き者説《よろこ》び遠き者来たる。

6　越権行為と批判

一　役人や政治家は越権行為をしてはならない。

（泰伯第八―十四）

子曰、不在其位、不謀其政也、　子曰わく、其の位に在らざれば、其の政《まつりごと》を謀《はか》らず。

【解説】

○憲問第十四―二十七にそっくり繰り返されている。

二　家老の季氏は、本来は天子だけに許される八佾《はちいつ》の舞を季氏の先祖の供養《くよう》の祀《まつ》りで舞わせたんだよ。何と言うことだ。わたしはもう我慢ならん。これを見過ごしたんでは底なしのグズグズになっちまう。

孔子謂季氏、八佾舞於庭、是可忍也、孰不可忍也、

孔子、季氏《きし》を謂《い》う、八佾《いつ》、庭《てい》に舞わす、是《こ》れをも忍ぶべくんば、孰《いず》れをか忍ぶべからざらん。

(八佾第三―一)

三　家老の季康子《きこうし》殿が、君主が執《と》り行うべき祀《まつ》りを泰山《たいざん》で行うというから、季家の執事《しつじ》をしている弟子の冉有《ぜんゆう》に、「お前、やめさせることは出来ないのかい」と言ったんだよ。すると冉有《ぜんゆう》のやつ、「わたしにはとても無理です」と答えるじゃないか。いくら温厚が取《と》り柄《え》の冉有《ぜんゆう》とはいえ、お前はいったい、わたしから何を学んだんだとガックリきてね、「へぇ、お前も立派になったもんだね。泰山の神様を新参《しんざん》の弟子の林放《りんぼう》よりも礼式に疎《うと》いと見下せるようになったのかい」と思わず皮肉を言ってしまったよ。

(八佾第三―六)

季氏旅於泰山、子謂冉有曰、

季氏、泰山に旅《りょ》す。子、冉有《ぜんゆう》に謂《い》いて曰わく、女《なんじ》救う

女不能救與、對曰、不能、子曰、嗚呼、曾謂泰山不如林放乎、

こと能《あた》わざるか。対《こた》えて曰わく、能わず。子曰わく、嗚呼《ああ》、曾《すなわ》ち泰山《たいざん》を林放にも如《し》かずと謂《おも》えるか。

四　昭公《しょうこう》様が兵器と財貨の収蔵庫の建て直しを許可された時に、弟子の閔子騫《びんしけん》が「修理して使えばよいものを、どうして新築なんかするのだろう」と批判したことがあったが、彼は寡黙《かもく》だが、苦労人だけに読みが深いね。あの年の九月に昭公様は家老たちを成敗《せいばい》しようと挙兵して失敗し、逆に亡命をよぎなくされてしまったものね。ピタリと言い当てたもんだよ。

（先進第十一―十四）

魯人爲長府、閔子騫曰、仍舊貫如之何、何必改作、子曰、夫人不言、言必有中、

魯人《ろひと》、長府を為《つく》る。閔子騫《びんしけん》曰わく、旧貫に仍《よ》らば、これを如何《いかん》、何ぞ必らずしも改め作らん。子曰わく、夫《か》の人は言わず。言えば必らず中《あた》ること有り。

【解説】

○昭公は定公の兄。事変の七年後に亡命先の斉で死に、翌年に定公が即位するが、その間、魯の国には君主が不在だった。

五　家老の季一族の財産が魯《ろ》の始祖の周公様《しゅうこう》以上であることは周知の通りだ。それなのに家老家の執事《しつじ》をしている弟子の冉有《ぜんゆう》ときたら、何を血迷ったか、さらに税率を上げて季家の財産を殖《ふ》やす手助けをしているんだ。これにはわたしも腹に据《す》えかねたから、若い弟子たちに向かって、「冉有《ぜんゆう》は破門だ。ドラや太鼓《たいこ》で攻め立てるように彼を批判し尽くしてかまわないぞ」と煽《あお》ってやったよ。

季氏富於周公、而求也爲之聚斂而附益之、子曰、非吾徒也、小子鳴鼓而攻之、可也、

季氏《きし》、周公より富めり。而して求《きゅう》やこれが為めに聚斂《しゅうれん》してこれを附益す。子曰わく、吾が徒《と》に非ざるなり。小子《しょうし》、鼓《こ》を鳴らしてこれを攻めて可《か》なり。

（先進第十一―十七）

7　出処進退

一　家老一門の季子然《きしぜん》殿が、ゴマスリのつもりか何か知らないが、「先生のお弟子さんの子路《しろ》さんや冉有《ぜんゆう》さんは今ではわが一門の家来ですが、彼等は超一級の家臣と呼ぶべきでしょうね」と言うから、「何のご質問かと思えば、つまらんことに子路と冉有のことですか。

一級の家臣というのは道理をもって君主に仕え、忠告が聞き入れられない時には潔《いさぎよ》く辞職する者をいうんですよ。まあ、子路や冉有はそこまでの根性のない、お具《そな》え家来ってとこでしょうよ」と切り返してやったんだ。そうしたら、「ほほう、根性なしですか。ならば主人の命令には何でも従いますか」と言うから、「父親や君主を殺すような命令には従いませんよ。その程度の教育はしてありますからね」とクギを刺してやったよ。あの一族ときたら何をしでかすか分かりゃせんからな。

（先進第十一—二十四）

季子然問、仲由冉求、可謂大臣與、子曰、吾以子爲異之問、曾由與求之問、所謂大臣者、以道事君、不可則止、今由與求也、可謂具臣矣、曰、然則從之者與、子曰、弑父與君、亦不從也、

季《き》子《し》然《ぜん》問う、仲由・冉《ぜん》求は大臣《だいしん》と謂うべきか。子曰わく、吾れ子《し》を以て異《こと》なるをこれ問うと為《な》す、曾《すなわ》ち由と求とをこれ問う。所謂《いわゆる》大臣なる者は、道を以て君に事《つか》え、不可《ふか》なれば則ち止《や》む。今、由と求とは具臣《ぐしん》と謂うべし。曰わく、然らば則ちこれに従わん者か。子曰わく、父と君とを弑《しい》せんには、亦た従わざるなり。

【解説】

○季子然は季桓子の弟、季康子の叔父。

二　わたしが衛《えい》の国に亡命していた五十七歳頃のことだったが、衛の実力者である大臣の王孫賈《か》がやって来て、「諺《ことわざ》にいう『家の守り神より台所のご飯たきの神様のご機嫌をとれ』とはどういう意味かご存知でしょうね」と言ったんだ。魯《ろ》の国を見限り、自分の家来になれば安楽に食っていけるぞというナゾさ。そこでわたしはね、「そんな現世利益《げんせりやく》には従いません。信義を捨てるという天の大罪を犯《おか》したなら、どんな神様のご機嫌をとったところで何も叶《かな》いやしませんから」と突っぱねてやったよ。あの経済的に苦しい時期のわたしでさえできたことを、安楽に暮らしている今の者ができないのかねェ。

（八佾第三―十三）

王孫賈問曰、與其媚於奧、寧媚於竈、何謂、子曰、不然、獲罪於天、無所禱也、

王孫賈《か》問うて曰わく、其の奥《おう》に媚びんよりは、寧《むし》ろ竈《そう》に媚びよとは、何の謂いぞや。子曰わく、然らず。罪を天に獲《う》れば、祷《いの》る所なきなり。

【解説】

○孔子は憲問第十四―二十で王孫賈《か》の軍事的能力を評価している。

三　わたしが大司寇《だいしこう》（法務大臣）となり魯《ろ》国の政治がようやく善《よ》くなり始めたのを見て、危

機を感じた隣国の斉《せい》が我が国に女性歌舞団を送り込んできたんだよ。すると家老の季桓子《きかんし》殿は、まんまとそのワナにはまって、定公様《ていこう》をたぶらかし、結局三日間というものドンチャン騒ぎの宴《うたげ》を開いて政務を顧《かえり》みなかった。あの時だね、わたしが故国を見限り、亡命を考えたのは。あれは、わたしが五十六歳の時のことだったよ。

(微子第十八―四)

齊人歸女樂、季桓子受之、三日不朝、孔子行、

斉人《せいひと》、女楽《じょがく》を帰《おく》る。季桓子《きかんし》これを受く。三日朝《ちょう》せず。孔子行《さ》る。

【解説】

○季桓子は孔子が六十二歳まで筆頭家老に在席していた。

8 刑罰

一　規則や法律を整備して違反したらビシビシ罰する。そんなことをしていたら誰もが法に触れなければ何をしたっていいんだなと荒《すさ》んだ気持ちになるのがオチさ。道徳や礼儀を教え、内面から自らの行動を律《りつ》するようにしていけば、誰もが不正を恥じ正しい行動をとるようになるよ。

子曰、道之以政、齊之以刑、民免而無恥、道之以徳、齊之以禮、有恥且格、

子曰わく、これを道《みち》びくに政《せい》を以てし、これを斉《ととの》うるに刑を以てすれば、民免《まぬが》れて恥ずること無し。これを道びくに徳を以てし、これを斉うるに礼を以てすれば、恥《はじ》ありて且《か》つ格《ただ》し。

（為政第二―三）

【解説】

○ルース・ベネディクト女史は『菊と刀』で、「恥の文化」は人目を気にし、人目がなければ平気で法を犯す恣意的で劣った文化であるとみなし、欧米の「罪の文化」を客観的な法に従う優れた文化とみなした。しかし、「罪の文化」では裁判で無罪になれば人を殺しても平然としていられるが、「恥の文化」ではたとえ無罪となっても深く悔いる。どちらも一長一短があり、ベネディクト女史は、「恥の文化」の短所と「罪の文化」の長所とを比較して後者に軍配を上げているに過ぎない。

○戦国時代に各国が取り入れたのは「法家」の思想であり、孔子のことばは春秋末期から台頭する法万能主義に対する警鐘でもある。

二　**家老の季康子《きこうし》殿が、盗賊の多いことを心配なさって対策を乞《こ》われたことがあるんだよ。でね、わたしはこうご返事申し上げた次第さ。「家老職のあなた様が無欲ならば、国民は**

褒美《ほうび》を与えて勧《すす》めたって盗みをはたらいたりはいたしませんよ」ってね。

（顔淵第十二—十八）

季康子患盜、問於孔子、孔子對曰、苟子之不欲、雖賞之不竊、

季康子、盗《とう》を患《うれ》えて孔子に問う。孔子対えて曰わく、苟《いやし》くも子の不欲ならば、これを賞すと雖ども竊《ぬす》まざらん。

三　家老の季康子《きこうし》殿と政治談義をしていた際に、「国の乱れを正すのに、犯罪者をビシビシ死刑にして犯罪を抑止するという政策はどうですかね」と発言されたんだよ。そこで、「とんでもないことです。あなた様は人殺しをなさらなければ政治ができないのですか。あなたが率先して善行を行えば国民は善行を行うようになりますよ。政治家の徳は目に見えない風のようなものです。一方、人民の徳は草のようなものです。政治家が良き風を吹かせば、草が風になびくように、人民は正しく反応するものですよ」と諌《いさ》めたよ。

（顔淵第十二—十九）

季康子問政於孔子、曰、如殺無道以就有道、何如、孔子對曰、子爲政、焉用殺、子欲善

季康子、政《せい》を孔子に問いて曰わく、如《も》し無道を殺して以て有道に就かば、何如《いかん》。孔子対えて曰わく、子、政を為《な》すに、焉《な》んぞ殺を用いん。子、善を欲すれば、民

而民善矣、君子之徳風也、小人之徳草也、草上之風必偃、

善ならん。君子の徳は風なり、小人の徳は草なり。草、これに風を上《くわ》うれば、必らず偃《ふ》す。

四　並の善人程度の人物でいいから、そうした者が政治を代々行い続けて百年もたてば、残虐な犯罪はなくなり、死刑も廃止出来るようになるというのは、決して絵空事《えそらごと》なんかじゃないんだよ。

（子路第十三―十一）

子曰、善人爲邦百年、亦可以勝殘去殺矣、誠哉是言也、

子曰わく、善人、邦《くに》を為《おさ》むること百年、亦た以て残《ざん》に勝ち殺《さつ》を去るべしと。誠なるかな、是《こ》の言《げん》や。

9　訴訟《そしょう》

一　全員が悪く言うからとて鵜呑《うの》みにせず、きちんと調べてみるべきだ。全員が良く言ってる時も同じことだよ。

（衛霊公第十五―二十八）

子曰、衆惡之必察焉、衆好之

子曰わく、衆これを悪《にく》むも必らず察《さつ》し、衆これを好む

必察焉、　　　　も必らず察す。

二　**弟子の子貢**《しこう》**が**「**近隣**のすべての**人**から好かれていれば良い**人**である**証拠**と**判断**してもいいでしょうか」と言うから、「イマイチだな」と答えたんだ。そうしたら、「**近隣**のすべての**人**から**憎**《にく》まれる**人物**なら**悪人**と**判断**してよいでしょう」と言うから、「そうとも**限**らんよ。**良**い**人**に**関**して言えば、**近隣**の**善人**たちから**好**かれ、**不善**の者たちから**憎**《にく》まれるのが**本当**に**良**い**人**の**証拠**だ。**悪人**に**関**しては**自分**で**考**えてごらん」と**説明**してやったよ。

（**子路第十三―二十四**）

子貢問曰、郷人皆好之何如、子曰、未可也、郷人皆惡之何如、子曰、未可也、不如郷人之善者好之、其不善者惡之也、

子貢問いて曰わく、郷人《きょうじん》皆なこれを好《よみ》せば何如《いかん》。子曰わく、未だ可《か》ならざるなり。郷人皆なこれを悪《にく》まば何如。子曰わく、未だ可ならざるなり。郷人の善き者はこれを好し、其の善からざる者はこれを悪まんには如《し》かざるなり。

【解説】

◎様々な訳があるが、前章と関連した「証拠論」と解した。

三　原告と被告双方の言い分を手短に聞いただけで即刻判決を下せるのは、弟子の子路《しろ》くらいのものだろうね。彼の思い切りのよさは、危うい面がなくもないが、一度承諾したことは翌日に延ばさず即実行するからね、ああいう点は見習っていいね。

子曰、片言可以折獄者、其由也与、子路無宿諾、
子曰わく、片言《へんげん》以て獄《うった》えを折《さだ》むべき者は、其れ由《ゆう》なるか。子路、諾《だく》を宿《とど》むること無し。

（**顔淵第十二—十二**）

【解説】

◎「片言」は「一言」「一方の言い分」というのが従来の訳だが、それでは公平な裁判とは言えないだろう。

四　訴えを聞いて判決を出すくらいは、わたしも人並みにできるが、わたしの目標は訴訟《そしょう》なき社会の実現なんだよね。

子曰、聴訟吾猶人也、必也使無訟乎、
子曰わく、訟《うった》えを聴くは、吾れ猶《な》お人のごときなり。必らずや訟え無からしめんか。

（**顔淵第十二—十三**）

10　国防と戦争

一　衛《えい》国の君主の霊公《れいこう》様ときたら、わたしに軍隊の陣立てについての質問ばかりするので、「わたしは神や先祖を祀《まつ》る儀礼についてはいささか学んでおりますが、軍事については学んでおりません」と返事をして、翌日衛国をオサラバしたよ。

（衛霊公第十五―一）

衛靈公問陳於孔子、孔子對曰、俎豆之事、則嘗聞之矣、軍旅之事、未之學也、明日遂行、

衛《えい》の霊公《れいこう》、陳《じん》を孔子に問う。孔子対《こた》えて曰わく、俎豆《そとう》の事は則ち嘗《かつ》てこれを聞けり。軍旅《ぐんりょ》の事は未だこれを学ばざるなり。明日《めいじつ》遂《つ》いに行く。

二　善人が国民を七年間も教化したら、素晴らしい国になり、素晴らしい国を守るためならばと、国民が進んで武器を取るようになるだろうね。

（子路第十三―二十九）

子曰、善人教民七年、亦可以即戎矣、

子曰わく、善人、民を教うること七年、亦《ま》た以て戎《じゅう》に即《つ》かしむべし。

【解説】

◎従来の訳では、理由が判然としないので説明を加えて訳した。

三　戦争目的も明確に教えられない状態で国民を戦場に駆《か》り立てるのは、国民を使い捨ての消耗品とみなしている証拠さ。

子曰、以不教民戰、是謂棄之、

子曰わく、教えざる民を以て戦う、是れこれを棄《す》つと謂《い》う。

（子路第十三—三十）

四　弟子の子路《しろ》が、「むかし、斉《せい》の桓公《かんこう》が王位を争って兄の糾《きゅう》を殺した時に、糾の補佐役をしていた召忽《しょうこつ》は殉死したのに、同じ補佐役の管仲《かんちゅう》は死ななかったばかりか桓公に仕《つか》えて首相にまでなったんですよ。管仲の行為は仁にはほど遠いでしょう」と言うから、「桓公が諸侯を集めて周《しゅう》王朝を中心に中国の統一を維持した際に、武力を用いなかったのは管仲がいたお陰だよ。管仲は人々が戦禍に巻き込まれるのを救ったんだから、彼の行為が仁にはど遠いと言えるかね、言えまいよ」と答えたよ。

（憲問第十四—十七）

子路曰、桓公殺公子糾、召忽

子路曰わく、桓公《かんこう》、公子糾《こうしきゅう》を殺す。召忽《しょうこつ》これに死し、

死之、管仲不死、曰未仁乎、
子曰、桓公九合諸侯、不以兵
車、管仲之力也、如其仁、如
其仁、

管仲《かんちゅう》は死せず。曰わく、未だ仁ならざるか。子曰わく、
桓公、諸侯を九合して、兵車を以てせざるは、管仲の
力なり。其の仁に如《し》かんや、其の仁に如《し》かんや。

【解説】

○斉の桓公が諸侯の盟主となったのは、孔子が生まれる百年ほど前のことである。

豆知識7　商標登録

『論語』は『聖書』と並ぶ超ロングセラーだが、商標登録の分野でも超の字がつきそうだ。『論語』からつけられた屋号や校名や人名は数えきれない。江戸時代には武士の子弟を教育する藩校が造られたが、熊本・細川藩の「時習館」は「学んで時に之を習う（学而時習之）」から、水戸の徳川藩・彦根の井伊藩・佐賀の鍋島藩の「弘道館」は、「人よく道を弘む（人能弘道）」から名づけられている。明治以降でも、学習院や郁文館など数多くある。

人名では、明治の元老の山県有朋《ありとも》は、「朋《とも》遠方より来る有り（有朋自遠方来）」から、初代首相の伊藤博文《ひろぶみ》は雍也第六―二十七から「博文約礼」という四字熟語が生まれ、そこからつけれている。ちなみに両人の改名前の名は、山県狂介《きょうすけ》と伊藤俊介である。

孔子の名はというと、母親が近くの「尼丘《じきゅう》」あるいは「尼山《じざん》」という山に祈って身籠もったので、名を「丘《きゅう》」、字を「仲尼《ちゅうじ》」とつけたという。一説には孔子がオギャーと生まれた時、頭の中央がへこんで周囲が盛り上がって丘のようだったので「丘」と名づけられたともいう。

第十章　老病死と祈り

孔子は物質的繁栄よりも精神的向上にこだわったが、同時に徹底して現世にこだわった。孔子には、現世よりも死後の世界を重んじる宗教性や、遠い未来に夢を託す未来信仰がなかった。古代の聖王の時代を理想とした点では超保守主義者だったが、過去も未来も断絶することなく現在を中心に一本につながっているとみなす点では筋金入りの現実主義者であり、それが保守主義者が陥りがちな神憑《がか》り的な言動や教条主義と無縁でいられた理由だったろう。

1　老いと嘆き

一　わたしは川のほとりに立つたびに思うんだよ。時の流れは、まるで川のようだと。滾々《こんこん》と流れ来たって、滔々《とうとう》と流れ去っていく。待ったなしにね。

（子罕第九―十七）

子在川上曰、逝者如斯夫、不舎晝夜、

子、川の上《ほとり》に在りて曰わく、逝《ゆ》く者は斯《か》くの如きか。昼夜を舎《や》めず。

二　以前は毎晩のように、わが理想と仰ぐ魯《ろ》の始祖の周公様《しゅうこう》を夢に見たものだが、この頃はとんと見なくなってしまったよ。これも老化現象なのだろうかねェ。

（述而第七—五）

子曰、甚矣、吾衰也、久矣、吾不復夢見周公也、

子曰わく、甚だしいかな、吾が衰《おとろ》えたるや。久しいかな、吾れ復《ま》た夢に周公を見ず。

三　わたしは人生でいろいろな苦難に遭《あ》ったが、最後のピンチは陳《ちん》と蔡《さい》の国境で軍隊に取り囲まれて餓死寸前に陥った六十四歳の時だった。思えば、あの時に苦難を共にした弟子たちも、もう門下にはいなくなってしまったよ……。

（先進第十一—二）

子曰、従我於陳蔡者、皆不及門者也、

子曰わく、我れに陳《ちん》、蔡《さい》に従う者は、皆な門に及ばざるなり。

四　この世に聖王が出現する時には、その前兆として鳳凰《ほうおう》が舞い降り、黄河から有り難い図版を背負った龍馬が姿を現わすというが、そんな兆《きざ》しのカケラもないよ。このまま望み叶《かな》わずわたしの人生も終っちまうんだろうかねェ……。

子曰、鳳鳥不至、河不出圖、吾已矣夫、

子曰わく、鳳鳥《ほうちょう》至らず、河《か》、図《と》を出《い》ださず。吾れ已《や》んぬるかな。

（子罕第九―九）

2　病《やまい》

一　弟子の冉伯牛《ぜんはくぎゅう》が重い病に罹《かか》ったので見舞ったが、彼はわたしが部屋に入るのを拒《こば》んでね。そこで、わたしは「お前ほど誰もが認める徳行《とっこう》の士が病を患《わずら》うのは、罰《ばち》や祟《たた》りであるもんかね。天が与えた試練だよ。よくお聞き、お前にだからこそ与えられた試練だよ。天はその人が乗り越えられないような試練を決して与えたりはしないのだからね」と言って、窓越しに彼の手をきつく握りしめたよ。

伯牛有疾、子問之、自牖執其手、曰、亡之、命矣夫、斯人也而有斯疾也、斯人也而有斯疾也、

伯牛《はくぎゅう》、疾《やまい》あり。子、これを問う。牖《まど》より其の手を執《と》りて曰わく、これ亡《な》からん、命《めい》なるかな。斯《こ》の人にして斯の疾あること、斯の人にして斯の疾あること。

（雍也第六―十）

【解説】
◎孔子が弟子の病の重いのを嘆いたというのが従来の訳だが、孔子の天に対する信頼の強さを考慮して訳した。

3　弟子たちの死

一　**わたしの人生にはいろいろな苦難があったが、弟子の顔回《がんかい》に死なれた時には、天がわたしを滅《ほろ》ぼそうとしているのではないかと恨《うら》みたくなるほど辛《つら》かったよ。思わず、「天はわたしを滅ぼした！」と口走ってしまったものね。**

顔淵死、子曰、噫天喪予、天喪予、

顔淵死す。子曰わく、噫《ああ》、天予《わ》れを喪《ほろ》ぼせり、天予れを喪ぼせり。

（**先進第十一—九**）

二　**弟子の顔回《がんかい》が死んだ時に、わたしは身もだえして大泣きしたらしいんだよ。従者から「先生も泣き崩《くず》れることがあるんですね」と言われて気づいたくらい無意識な行為だったがね。でも、顔回のために泣かずに、いったい誰のために泣くことができるだろうよ。**

（先進第十一―十）

顔淵死、子哭之慟、従者曰、子慟矣、子曰有慟乎、非夫人之爲慟、而誰爲慟、

顔淵死す。子これを哭《こく》して慟《どう》す。従者《じゅうしゃ》曰わく、子慟せり。曰わく、慟すること有るか。夫《か》の人の為めに慟するに非ずして、誰《た》が為めにかせん。

三　弟子の顔回《がんかい》が死んだ時に他の弟子たちが葬儀を派手にやりたいと言うから、わたしは「そりゃ、イカン」と言ったんだよ。ところが弟子たちはわたしが喜ぶと勘違《かんちが》いしたものか、わたしが嘆き悲しんでいる隙《すき》に派手な葬儀を挙《あ》げてしまったんだ。回はわたしを実の父親のように慕《した》ってくれたのに、わたしは不肖《ふしょう》の弟子たちのせいとはいえ、回を実の息子のように質素ながらも心のこもった葬儀で送ってやれなかったんだよ……。

（先進第十一―十一）

顔淵死、門人欲厚葬之、子曰、不可、門人厚葬之、子曰、回也視予猶父也、予不得視猶子也、非我也、夫二三子也、

顔淵死す。門人厚くこれを葬《ほうむ》らんと欲《ほっ》す。子曰わく、不可《ふか》なり。門人厚くこれを葬る。子曰わく、回や、予《わ》れを視《み》ること猶《な》お父のごとし。予れは視ること猶お子のごとくすることを得ず。我れに非ざるなり、夫《か》の二三子なり。

【解説】

◎「厚」をあえて「派手」と訳した。

四　わたしと弟子たちが匡《きょう》の地で兵隊に取り囲まれ、囲みを破って逃げ出した時に、顔回《がんかい》が逃げ遅れて、ようやく巡《めぐ》り会えたことがあったんだよ。で、わたしが思わず「生きていたんだね。わたしはてっきりお前は死んだものと覚悟していたよ」と言うと、回は「先生がご健在なのに、わたしがどうして死ぬものですか」と応じたんだよ。まるで昨日のことのようだが、この年寄りのわたしが健在だというのに、回が先に逝《い》ってしまうなんて……。

（先進第十一―二十三）

子畏於匡、顔淵後、子曰、吾以女爲死矣、曰、子在、回何敢死、

子、匡《きょう》に畏《おそ》る。顔淵後《おく》れたり。子曰わく、吾れ女《なんじ》を以て死せりと為《な》す。曰わく、子在《いま》す、回何ぞ敢《あ》えて死せん。

五　あれは、四人の弟子とくつろいでいた時のことだった。例によって閔子騫《びんしけん》は行儀よく、子路《しろ》は勇ましげに、冉有《ぜんゆう》と子貢《しこう》は穏やかな様子でね。わたしも大いに楽しんでいたんだが、何故《なぜ》ということもなく「子路よ、お前は畳《たたみ》の上では死ねそうにないなァ」と口にしたんだ。

まさか、あの時の私のことばが的中するとはねェ……。

（先進第十一―十三）

閔子騫侍側、誾誾如也、子路行行如也、冉子子貢侃侃如也、子樂、曰、若由也不得其死然、

閔子騫《びんしけん》、側《かたわ》らに侍《じ》す、誾誾如《ぎんぎんじょ》たり。子路、行行如《こうこうじょ》たり。冉子《ぜんし》・子貢、侃侃如《かんかんじょ》たり。子楽しむ。曰わく、由《ゆう》がごときは其の死を得ざらん。

4　心霊と祈り

一　弟子の子路《しろ》が「心霊をどう扱ったらよいものでしょうか」と訊《き》くから、「そんな質問は十年早いよ。人をどう扱ったらよいか分かりもしない中《うち》に心霊のことなんか訊《き》くもんじゃないよ」と窘《たしな》めてやったんだよ。すると、さらに「死とは何ですか」と問うからね、「同じこと。生もろくに知らない中に、死のことなんか訊《き》くもんじゃないよ」と窘《たしな》めたが、あれは顔回《がんかい》の死に触発されての質問だったのだろうかねぇ、それとも自分の非業《ひごう》の死を予感してのことだったんだろうかねェ……。

（先進第十一―十二）

季路問事鬼神、子曰、未能事

季路《きろ》、鬼神に事《つか》えん事を問う。子曰わく、未だ人に事

人、焉能事鬼、曰敢問死、曰
未知生、焉知死、

うること能《あた》わず、焉《いずく》んぞ能《よ》く鬼《き》に事えん。曰《い》わく、敢《あ》えて死を問う。曰わく、未だ生を知らず、焉んぞ死を知らん。

【解説】

◎孔子自身が「自分はまだ人生を熟知していない。だから心霊や死については語らない」というのが従来の訳だが、勇壮好みの子路に対するたしなめと解した。

二　**先祖を祀《まつ》ってお祈りするのは自然な感情だから結構だが、バチが当たるといけないからとか、政治的な下心で神を拝むというのは、とんでもないことだよ。神に対する冒涜《ぼうとく》だ。そう言ってもやめないだろうが、面子《めんつ》にこだわり、正すべきことを正せないのは勇気の欠けている証拠だよ。**

（**為政第二―二十四**）

子曰、非其鬼而祭之、諂也、
見義不爲、無勇也、

子曰わく、其の鬼《き》に非ずしてこれを祭るは、諂《へつら》いなり。
義を見て為《せ》ざるは勇なきなり。

【解説】

○貝塚茂樹氏によると当時の魯国では新興宗教が流行していたという。当然、権力者の中には宗教の力を政治的に利用しようとする者がいただろう。まったく現代の世界と変わりない。

◎「見義不為」は「なすべき事をしないのは」というのが従来の訳だが、それでは分かりにくいので「正すべきことを正せない」と訳した。

○孔子にとっては、学而第一―八の「過てば則ち改むるに憚ることなかれ」が勇気ある者の姿である。

三　**弟子の子貢**《しこう》**が魯**《ろ》**の政府に仕**《つか》**えてすぐに、「魯の国のご先祖様を祀**《まつ》**る告朔**《こくさく》**の礼は生け贄**《にえ》**の羊を捧**《ささ》**げるだけで、あとはお茶を濁して正式に行っていないから、羊を捧**《ささ》**げるだけモッタイナイし、やめたらいいと思うのですが、いかがですか」と相談してきたんだ。彼は弁舌ばかりか財政にも明るいからね、まっ、早いとこ実力のほどを見せたかったんだろうよ。そこで、わたしはこう答えてやったよ。「お前は毎月の羊代を惜**《お》**しむのかね。現実にそぐわないからと羊を捧**《ささ》**げるのをやめてしまえば、告朔**《こくさく》**の礼は永久に復活しないよ。形式的にでも続けていれば、いつか復活するかもしれないじゃないか」とね。**

（八佾第三―十七）

子貢欲去告朔之餼羊、子曰、賜也、女愛其羊、我愛其禮、

子貢、告朔《こくさく》の餼羊《きよう》を去らんと欲す。子曰わく、賜《し》や、女《なんじ》は其の羊を愛《おし》む、我れは其の礼を愛《おし》む。

【解説】

○何をもってムダや非現実的とみなすかが問題である。『日本国憲法』の「戦力の放棄」や、政府見解の「非核三原則」は世界の実状に合わないからと風前の灯の状態だが、孔子なら「今は現状に合っていなくても、掲げ続けて、現実を少しでも憲法に近づけるよう努力すべきである」と言うだろう。

四　わたしが病気になった時に、弟子の子路《しろ》が「先生のためにお祈りをさせて下さい」と言うから、「病気の祈願なんてあるのかい」と訊《き》くと、「あります。古い祈りの文に『汝《なんじ》のことを天地の神々に祈る』と書いてあります」と答えるからね、「天地の神への祈りなら、わたしはずっとしてきているよ。苦しい時の神だのみ的な、にわか信心はご無用だよ」と答えてやったよ。

（述而第七―三十四）

子疾病、子路請禱、子曰、有
諸、子路對曰、有之、誄曰、
禱爾于上下神　、子曰、丘之
祇之久矣、

子の疾《やまい》、病《へい》なり。子路、禱《いの》らんと請う。子曰わく、諸《こ》れ有りや。子路対《こた》えて曰わく、これ有り、誄《るい》に曰わく、爾《なんじ》を上下の神祇《しんぎ》に禱ると。子曰わく、丘の禱ること久し。

豆知識8　動物

『論語』にはさまざまな動物名が出てくる。馬は孔子の時代には、まだ背に跨る技術がなく、戦車を引かせていた。中国が北方の遊牧民を恐れたのは、遊牧民が騎馬の技術を身につけていたためである。牛は荷車を引かせたり農耕に使ったりする他に、羊と同じく食用や祭祀《さいし》の際の生《い》け贄《にえ》用に使われた。犬も古来より現在にいたるまで食用にされている。虎や豹も出てくるが、これも毛皮を取った後の肉は食べたろう。他に鹿・狐・貂《てん》・鶏・雉・亀・魚……と、孔子の生活は豊かな動物たちに取り囲まれている。

つい最近まで中国人が口にする魚は川魚だった。孔子はわが子に「鯉《り》」という名をつけているが、昔の人もこれを奇異に感じたものか、『孔子家語《けご》』では「長男が生まれた時に魯の昭公からお祝いに鯉を賜《たまわ》ったので命名した」と説明している。しかし、まだ二十歳の弱輩の孔子にありそうにないエピソードだ。黄河の急流を上りきると鯉などの雑魚《ざこ》が龍に変じるという「登竜門」の伝説がすでにあり、わが子の大成を願ってつけたものか、それとも、鯉は孔子の好物だったのだろうか？

第二部　孔子プロファイリング

一　**先生は、詩経《しきよう》と書経《しよきよう》を読まれる時は、周の正統な古語の発音を使われた。礼を教える時もそうだった。**

子所雅言、詩書執禮、皆雅言也、　子の雅言《がげん》する所は、詩、書、執礼、皆な雅言す。（**述而第七—十七**）

【解説】

○「標準語を使った」という訳が一般的だが、私が学校で古典を習った時のことを考慮して訳した。

二　**先生は、ミステリーとヴァイオレンス、ポルノとオカルトに関しては触れなかった。**

子不語怪力亂神、　子、怪力乱神を語らず。（**述而第七—二十**）

三　**先生のカリキュラムは、「古典講読」「行儀作法」「訓話による心の修練」「問答による正しい言語表現」の四つが中心だった。**

子以四教、文行忠信、

子、四《よ》つを以て教う。文、行、忠、信。

（述而第七―二十四）

四　先生は、穏やかだったが厳《きび》しくもあり、威厳に満ちていたが威圧的なところはなく、謙虚でのびのびとしていらした。

子温而厲、威而不猛、恭而安、

子は温にして厲《はげ》し、威《い》にして猛ならず。恭々《うやうや》しくして安し。

（述而第七―三十七）

五　先生は、天命や仁との絡《から》みでない限りは経済に関して語られなかった。

子罕言利與命與仁、

子、罕《まれ》に利を言う、命《めい》と仁と。

（子罕第九―一）

【解説】

◎「利と命と仁の三つともほとんど語らなかった」というのが従来の訳だが、命や仁は頻繁に語っているので貝塚茂樹氏の解釈に従った。「利」はあえて経済と訳した。

六　先生は、次の四点から超越していらした。わがまま・無理強《じ》い・頑《かたく》な・出しゃばり。

（子罕第九―四）

子絶四、毋意、毋必、毋固、毋我、

子、四を絶《た》つ。意なく、必《ひつ》なく、固《こ》なく、我《が》なし。

七　盲人の楽師《がくし》の冕《べん》さんが面会にいらした時、階段まで来ると先生は「階段です」と仰言《おつしや》り、座席に来ると「席です」と仰言り、一同が座に着くと「誰々はここに座っております。誰々はここに座っております」と紹介された。冕さんが帰られた後で、弟子の子張《しちよう》さんが「あれが盲人楽師と接する時の作法ですか」と訊《たず》ねると、先生は「そうだよ。当然の作法だよ」と仰言っていた。先生の教育はこのように常にご自身の実践を通して行われた。

（衛霊公第十五―四十二）

師冕見、及階、子曰、階也、及席、子曰、席也、皆坐、子告之曰、某在斯、某在斯、師冕出、子張問曰、與師言之道與、子曰、然、固相師之道也、

師冕見《しべんまみ》ゆ。階《かい》に及べり。子曰わく、階なり。席に及べり。子曰わく、席なり。皆な坐す。子これに告げて曰わく、某《ぼう》は斯《ここ》に在り。某は斯に在り。師冕出《い》ず。子張問いて曰わく、師と言うの道か。子曰わく、然り。固《もと》より師を相《たす》くるの道なり。

【解説】

○当時の楽師は盲人だった。

八　弟子の子夏《しか》さんが「君子は三つの顔を持つ。離れて見ると厳《おごそ》かで、近くで見ると穏やかで、ことばを聞くと鋭い」と言っているが、これは先生を評したものだろう。

子夏曰、君子有三變、望之儼然、即之也温、聴其言也厲、

子夏曰わく、君子に三変あり。これを望めば儼然《げんぜん》たり、これに即《つ》けば温なり、其の言を聴けば厲《はげ》し。

（子張第十九—九）

2　政治家として

一　先生は、先祖を祀《まつ》る際の「精進潔斎《しょうじんけっさい》」と、「戦争」と「病気」の三点に関しては慎重が上にも慎重な態度で臨《のぞ》まれた。

子之所愼、齊戰疾、

子の慎しむ所は、斉《さい》、戦《せん》、疾《しつ》。

（述而第七—十二）

二　先生は、御前《ごぜん》会議で下位の閣僚と話される時は穏やかであり、同列の閣僚と話される時は慎み深く、君主がお出ましになると、うやうやしくなさったが、常にゆったりとしていらした。

（郷党第十─二）

朝與下大夫言侃侃如也、與上大夫言誾誾如也、君在踧踖如也、與與如也、

朝《ちょう》にして下大夫《かたいふ》と言えば、侃侃如《かんかんじょ》たり。上大夫と言えば、誾誾如《ぎんぎんじょ》たり。君在《いま》せば踧踖如《しゅくせきじょ》たり、与与如《よよじょ》たり。

三　斉《せい》国の家臣の陳成子《ちんせいし》が主君の簡公《かんこう》を殺したのは、先生が七十二歳の時だった。先生は事件を知ると、老躯《ろうく》をおして、髪を洗い身を清めて参内《さんだい》され、哀公《あいこう》様にお目通りして、「軍隊をさし向け陳《ちん》めをお討ち取りになりますように」と進言された。すると哀公様は「三人の家老と相談してみるように」とお答えになった。先生は退廷後、「予想はしていたが、かつて司法大臣を務めていた身としては、他国の不法行為でも見逃すわけにはいかなかったからしたまでだよ。それにしても、『三家老のよきに計《はか》らえ』とは……」と嘆いていらした。三家老を訪問されたが、提案は拒否された。先生は「かつて司法大臣を務めた身としては拒否されると分かっていてもせざるを得なかったのだよ」と仰言《おっしゃ》っていた。結果は

ダメと分かっていても、言い続けることに意義があるというのが先生の姿勢だった。

（憲問第十四―二十二）

陳成子弑簡公、孔子沐浴而朝、告於哀公曰、陳恒弑其君、請討之、公曰、告夫三子、孔子曰、以吾従大夫之後、不敢不告也、君曰、告夫三子者、之三子告、不可、孔子曰、以吾従大夫之後、不敢不告也、

陳成子《ちんせいし》、簡公《かんこう》を弑《しい》す。孔子、沐浴《もくよく》して朝《ちょう》し、哀公に告げて曰わく、陳恒《ちんこう》、其の君を弑す。請《こ》う、これを討《う》たん。公曰わく、夫《か》の三子に告げよ。孔子曰わく、吾れ大夫《たいふ》の後《しりえ》に従えるを以て、敢《あ》えて告げずんばあらざるなり。君曰わく、夫《か》の三子者に告げよと。三子に之《ゆ》きて告ぐ。可《き》かず。孔子曰わく、吾れ大夫の後に従えるを以て、敢えて告げずんばあらざるなり。

3　家庭人として

一　先生は「弟子の公冶長《こうやちょう》は、娘を嫁がせるに足る人物だ。彼は投獄されていたことがあるが、無実の罪であったので全く問題ない」と仰《おっしゃ》って娘さんと結婚させた。

（公冶長第五―一）

子謂公冶長、可妻也、雖在縲

子《し》、公冶長《こうやちょう》を謂《い》う、妻《めあ》わすべきなり。縲絏《るいせつ》の中《うち》に在り

縲之中、非其罪也、以其子妻之、

と雖《いえ》ども、其の罪に非ざるなりと。其の子《こ》を以てこれに妻わす。

二　先生が自宅でくつろいでいる様子は、まことにのびやかであり、にこやかだった。

（述而第七―四）

子之燕居、申申如也、夭夭如也、

子の燕居《えんきょ》するや、申申如《しんしんじょ》たり、夭夭如《ようようじょ》たり。

三　先生は釣《つ》りをなさったが、一時に大量の魚を獲《と》るハエナワは使われなかった。空飛ぶ鳥を、矢の後部に糸のついたイグルミの矢で絡《から》め落とす猟はされたが、枝に休んでいる鳥を射ることはなかった。

（述而第七―二十六）

子釣而不綱、弋不射宿、

子、釣《つり》して綱《こう》せず。弋《よく》して宿《しゆく》を射《い》ず。

四　先生は何人かの人と歌を唄《うた》っている際、ある曲を上手く唄う人がいると必ず繰りかえさ

せ、その後で一緒に唄って学ばれた。

（述而第七—三十一）

子與人歌而善、必使反之、而後和之、
子、人と歌いて善ければ、必らずこれを反《か》えさしめて、而《しか》して後《のち》にこれに和す。

【解説】

◎あえてカラオケ風に訳した。

五　先生は、衣服の襟《えり》や袖口《そで》を紺やとき色の布で飾らなかった。祭服や喪服の色だからである。紅や紫色も中間色であるので、平服には用いなかった。夏には葛布《くずぬの》製の単衣《ひとえ》を着ていらしたが、肌が透《す》けて見えないように下着を召《め》されていた。冬には、黒い上衣の下には仔羊の黒い毛皮を、白い上衣の下には仔鹿の白い毛皮を、黄色い上衣の下には狐の黄色い毛皮を着込んでいらした。ふだん着の毛皮は長めにし、右手の袖は便利なように短めにしていらした。寝る時は寝間着を着て、その長さは身長の一・五倍ほどあった。坐る時には狐や狢《てん》の厚い毛皮を敷《し》かれ、喪中でなければ、帯に装身具を提《さ》げていらした。

（郷党第十—六）

君子不以紺緅飾、紅紫不以爲
君子は紺緅《かんしゅう》を以て飾らず。紅紫は以て褻《せつ》服と為《な》さず。

褻服、當暑縝絺綌、必表而出、緇衣羔裘、素衣麑裘、黄衣狐裘、褻裘長、短右袂、必有寢衣、長一身有半、狐貉之厚以居、去喪無所不佩、

暑に当たりては縝《ひとえ》の絺綌《ちげき》、必らず表《ひょう》して出《い》だす。緇衣《しい》には羔裘《こうきゅう》、素衣《そい》には麑裘《げい》。黄衣には狐裘。褻裘《せつきゅう》は長く、右の袂《たもと》を短くす。必らず寝衣《しんい》あり、長《た》け一身有半。狐《こ》貉《かく》の厚き以て居る。喪《も》を去《のぞ》いては佩《お》びざる所なし。

【解説】

○全体の約五分の四に当たる訳である。

六　先生はご飯は精白したものを好まれ、膾《なます》は肉を細かく切ったものを好まれた。飯がすえて味が変わったり、魚や肉のいたんだものはもとより、色や臭いの悪いものはいっさい口にされなかった。煮加減の良くないものや季節外れのもの、切り目の正しくない料理や、料理に似合った付け汁がないものも召《め》し上がらなかった。肉は多く食べても食べ過ぎてご飯とのバランスを崩すようなことはなく、酒量は決まってはいないが、乱れるほどには飲まれなかった。すべてが自家製の食材で、町で売っている酒や乾肉《ほしにく》は口にされなかった。味つけに添《そ》えられているショウガ類は避けなかったが、沢山は召し上がらなかった。

（郷党第十―八）

食不厭精、膾不厭細、食饐而餲、魚餒而肉敗不食、色悪不食、臭悪不食、失飪不食、不時不食、割不正不食、不得其醤不食、肉雖多不使勝食氣、唯酒無量、不及亂、沽酒市脯不食、不撤薑食、不多食、

食《いい》は精《しらげ》を厭《いと》わず。膾《なます》は細きを厭わず。食の饐《いい》して餲《あい》せると魚の餒《あさ》れて肉の敗《やぶ》れたるは食《く》らわず。色の悪《あ》しきは食らわず。臭《におい》の悪しきは食らわず。飪《じん》を失なえるは食らわず。時ならざるは食らわず。割《きりめ》正しからざれば食らわず。其の醤《しょう》を得ざれば食らわず。肉は多しと雖ども、食気《しき》に勝たしめず。唯《た》だ酒は量なく、乱に及ばず。沽《か》う酒と市《か》う脯《ほじし》は食らわず。薑《はじかみ》を撤《す》てずして食らう、多くは食らわず。

【解説】

○全体の三分の二強に当たる訳である。

七　先生の留守中に馬小屋が丸焼けになったことがあった。召使いたちは馬を死なせてどれほど叱られるかと蒼《あお》くなったが、朝廷から戻ってきた先生は話を聞くなり、「で、怪我人は出なかったのかい」と質問されたが、馬については一言も触れなかった。

（郷党第十―十三）

厩焚、子退朝曰、傷人乎、不

厩《うまや》焚けたり、子、朝《ちょう》より退きて曰わく、人を傷《そこな》えりや。

問馬、　　　　　　　　　馬を問わず。

【解説】

○動物愛護家には叱られそうな話かもしれない。古典落語『厩火事《うまやかじ》』の出典。

八　幼なじみの原壌《げんじょう》という者が立て膝でしゃがんだまま先生を待ち受けていたら、近寄ってきた先生は、「お前は子供のころは悪《わる》ガキで、大人になっても凡庸《ぼんよう》で、齢《とし》をくってもただ生きてるだけだ。お前のようなのをゴクツブシって言うんだぞ」と、杖で原壌の脛《すね》を叩かれた。

（憲問第十四―四十五）

原壌夷俟、子曰、幼而不孫弟、長而無述焉、老而不死、是爲賊、以杖叩其脛、

原壌《げんじょう》、夷《い》して俟《ま》つ。子曰わく、幼にして孫弟《そんてい》ならず、長じて述《の》ぶること無く、老《お》いて死せず。是れを賊と為《な》す。杖を以て其の脛《はぎ》を叩《う》つ。

【解説】

◎魯迅の短編『故郷』に、かつて兄貴分のように慕っていた幼なじみが卑屈な態度で姿をみせる場面があり、一脈通じる点があるようにも思えるが、孔子は幼なじみを本気で叱ったのか、親愛の情を示したものか、読者のご意見を乞いたい。

○『礼記―檀弓下第四』にも原壌との交流が記載されている。

九　**弟子**の**子禽**《しきん》さんが**先生**のご**子息**の**鯉**《り》さんにインタヴューをしたことがあった。

「あなたは**先生**から**何**か**特別**の**奥義**《おうぎ》のようなものを**伝授**されましたか」

「いいえ、**全**くありません。そうですね、かつて**父**が**庭先**に**独**《ひと》りでいた**時**に、わたしが**傍**《かたわ》らを**走**り**抜**けようとしたら、『**詩**を**勉強**しているかい』と**訊**《き》かれました。『まだです』と**答**えると、『**詩**を**勉強**しないと**言葉**づかいができないよ』と**言**われました。そこで、わたしは**部屋**に**戻**ってから**詩**の**勉強**を**始**めました。**又**ある**日**、**父**が**庭**に**独**りでいる**前**を**走**り**抜**けようとすると、『**礼**を**学**んだかい』と**訊**《き》かれたので、『まだです』と**答**えました。すると**父**は『**礼**を**学**ばないと**立**ち**居振**る**舞**いができないよ』と**言**いました。そこで、わたしは**部屋**に**戻**ってから**礼**を**学**び**始**めました。まあ、**父**から**伝授**されたと**言**えるのは、この**二**つくらいでしょうか」

子禽《しきん》さんはインタヴューの**後**で、「**一**つ**質問**しただけなのに、**三**つもいいこと**聞**いちゃった。**詩**が**大切**だってことと、**礼**が**大切**だってことだろう、それに**君子**はわが**子**を**特別扱**いしないってことをだよ」と**小躍**《こおど》りしていた。

（季子第十六―十三）

陳亢問於伯魚曰、子亦有異聞乎、對曰、未也、嘗獨立、鯉趨而過庭、曰、學詩乎、對曰、未也、曰、不學詩無以言也、鯉退而學詩、他日又獨立、鯉趨而過庭、曰、學禮乎、對曰、未也、不學禮無以立也、鯉退而學禮、聞斯二者、陳亢退而喜曰、問一得三、聞詩、聞禮、又聞君子之遠其子也、

陳亢《ちんこう》、伯魚《はくぎょ》に問うて曰わく、子《し》も亦た異聞ありや。対《こた》えて曰わく、未《いま》だし。嘗《かつ》て独《ひと》り立てり。鯉《り》趨《はし》りて庭を過ぐ。曰わく、詩を学びたりや。対えて曰わく、未だし。詩を学ばずんば、以て言うこと無し。鯉退きて詩を学ぶ。他日又た独り立てり。鯉趨りて庭を過ぐ。曰わく、礼を学びたりや。対えて曰わく、未だし。礼を学ばずんば、以て立つこと無し。鯉退きて礼を学ぶ。斯《こ》の二者《しゃ》を聞けり。陳亢退きて喜びて曰わく、一を問いて三を得たり。詩を聞き、礼を聞き、又た君子の其の子を遠ざくるを聞く。

【解説】

○子禽は孔子より四十歳若い。姓は陳、名は亢《こう》、字は子禽。

○鯉は孔子の一人息子。姓は孔、名は鯉、字は伯魚。孔子の死の五年前に五十歳で死んだ。

○「庭訓」＝家庭教育の意の出典。

一　先生が亡命旅行中の出来事だが、儀《ぎ》の国境警備官が先生にお目に掛かりたいとやって来たことがあった。「わたしァここを通るお偉いさん方にはすべてお会いしとるんじゃ」と言い張るから、やむなく従者が取り次いだのだが、会見の後で警備官はこう語っていた。「みなさん方よ、故国を追われて他国をさまよっているのを嘆くことは、これっぱかりもありゃしませんぞ。天下に道義がすたれて久しいこってす。そこで天は、いよいよ道義を再興なさろうと、みなさん方の先生様を先ぶれとして天下を周遊させとられるんですからな」と。

（八佾第三―二十四）

儀封人請見、曰、君子之至於斯也、吾未嘗不得見也、從者見之、出曰、二三子何患於喪乎、天下之無道也久矣、天將以夫子爲木鐸、

儀《ぎ》の封人《ほうじん》、見《まみ》えんことを請《こ》う。曰わく、君子の斯《ここ》に至るや、吾れ未《いま》だ嘗《かつ》て見ることを得ずんばあらざるなり。従者《じゅうしゃ》これを見《まみ》えしむ。出《い》でて曰わく、二三子、何ぞ喪《そう》することを患《うれ》えんや。天下の道なきや久し。天将《まさ》に夫《ふ》子《し》を以て木鐸《ぼくたく》と為《な》さんとす。

二　先生が、衛《えい》国の霊公《れいこう》の夫人である南子《なんし》と会見したことがあった。夫人はフリンで知られ

ていたから、先生の名に疵がつくことを心配した弟子の子路《しろ》さんは、露骨に苦《にが》り切った表情を見せた。その時、先生は子路さんに誓って、「私は疚《やま》しいことはこれっぱかりもしてないよ。もしも、過《あやま》ちを犯したなら天がわたしを罰するだろうよ。他ならぬ天がね」と仰《おっ》言《しゃ》っていた。

（雍也第六―二十八）

子見南子、子路不説、夫子矢之曰、予所否者、天厭之、天厭之、

子、南子《なんし》を見る。子路説《よろこ》ばず。夫子《ふうし》これに矢《ちか》って曰わく、予《わ》が否《すまじ》き所の者は、天これを厭《た》たん。天これを厭《た》たん。

三　達巷《たつこう》という村の人が「孔先生は偉いもんだ、何でも知ってらっしゃる。でも、これと聞こえた専門をお持ちでないね」と言ったことがあった。それを耳にした先生は門弟に向かってこう仰言《おっしゃ》った。「そうかね。専門職かねぇ。わたしなら何にするかね、御車《ぎょしゃ》か弓か。御車でも取ろうかねェ」と。

（子罕第九―二）

達巷黨人曰、大哉孔子、博學而無所成名、子聞之、謂門弟

達巷党《たつこうとう》の人曰わく、大なるかな孔子、博く学びて名を成す所なし。子これを聞き、門弟子《もんていし》に謂《い》いて曰わく、

子曰、吾何執、執御乎、執射乎、吾執御矣、

吾れは何をか執《と》らん。御《ぎょ》を執らんか、射《しゃ》を執らんか。吾れは御を執らん。

四　先生は、君子は多芸多能である必要はないと説《と》いていらしたが、弟子の子開《しかい》さんに「わたしは長いこと世間に受け入れられなかったから多芸になったんだよ」と仰言《おっしゃ》っていたそうだ。

牢曰、子云、吾不試、故藝、

牢《ろう》曰わく、子云《い》う、吾れ試《もち》いられず、故に藝ありと。

（子罕第九—七）

【解説】

○牢は生年不詳。姓は琴《きん》、名は牢、字は子開。

五　微生畝《びせいほ》という人物が先生に対して「おい丘《きゅう》よ、**お前は何**だって、そんなにあくせくしてるんだい。**口先**一つで**出世**しようとたくらんでるわけじゃあるまいね」と**揶揄《やゆ》**したことがあった。それに**対**して**先生**は「**口先**などとは、とんでもない。わたしは**自分**だけ**清**ければ、それでいいと**引**き**籠《こ》**もっていられないだけですよ」と答えていらした。

（憲問第十四—三十四）

微生畝謂孔子曰、丘何爲是栖栖者與、無乃爲佞乎、孔子對曰、非敢爲佞也、疾固也、

微生畝《びせいほ》、孔子に謂《い》いて曰わく、丘《きゅう》、何為《なんす》れぞ是れ栖栖《せいせい》たる者ぞ。乃《すなわ》ち佞《ねい》を為《な》すこと無からんや。孔子対《こた》えて曰わく、敢《あ》えて佞《ねい》を為すに非ざるなり。固《こ》を疾《にく》むなり。

【解説】

○微生が姓、名が畝。詳細は不明。隠者か。

六　弟子の子路《しろ》さんが石門《せきもん》の地で宿泊した折り、門番が「どちらからおいでですかね」と訊《き》いたので、子路さんが「孔子の家からだ」と答えると、門番は「ああ、あの出来っこないと分かり切ってることをやろうとしているモノズキさんですか」と言ったとのことだ。（**憲問第十四—四十**）

子路宿於石門、晨門曰、奚自、子路曰、自孔氏、曰、是知其不可而爲之者與、

子路、石門《せきもん》に宿る。晨門《しんもん》曰わく、奚《いず》れよりぞ。子路曰わく、孔氏よりす。曰わく、是れ其の不可《ふか》なることを知りて而《しか》もこれを為《な》す者か。

第三部　弟子たちのことば

『論語』には、三千人といわれた孔子の弟子の中の二十九名が登場しているが、単独のことばが記載されているのは、その中の七名に過ぎない。記載数は曾参《そうしん》が十二、子夏《しか》が十、子貢《しこう》が五、有若《ゆうじやく》が四、子游《しゆう》と子張《しちよう》が三、顔回《がんかい》が一である。また、「子」（先生）の称号をつけて呼ばれているのは、年長者順に有若・閔子騫《びんしけん》・冉有《ぜんゆう》・曾参の四名のみである。この四名中、単独のことばが記載されているのは有若と曾参の二名であるところから、後継者争いはこの二名に絞られ、最終的には曾参一派が勝利を収めたのではないかと推察されている。

孔子が死んだ時、曾参はおそらく後継候補のダークホースにも数えられていなかったと思われる。孔子との対話数から見れば、曾参とほぼ同年齢の子夏・子游・子張の三名が後継者の本命だったはずだ。もっとも曾参の父親（名は點《てん》、字は晳《せき》）も孔子の弟子であったから、二代にわたる弟子として一目は置かれていたかもしれない。こうした状況を一挙に覆《くつがえ》したとおぼしき事件が『孟子―滕文公《とうぶんこう》章句上』に出ている。

三年の喪が終わった際に、本命三人が「有若の容姿が孔子に似ているので、今後は有若を先生代わりにして仕えよう」と提案したのだ。とはいえ、この三人が仲良しだったというわけではない。『論語』には三人がライヴァル意識を剥《む》き出しにして、孔子の教えの解釈を巡って論難したり（子張第十九―三）、相手の教育法を批判したり（同―十二）、相手がまだ仁に達していないことを指摘して牽制《けんせい》し合っている（同―十五）。おそらく三人とも「われこそ後継者」と自負していたに違いない。そこで一時的に同盟を結んで、禦しやすい有若を担ぎ出したのだ。さて、『孟子』の記述によると、この時、まったく無印の曾参が割って入った。「あなた方は何をしようとしているのだ。あなた方のしようとしていることは大先生に対する冒涜《ぼうとく》以外のなにものでもないではないか！」

その後のことは書かれていないが、推測はつく。この一言で本命の三人は不肖《ふしょう》の弟子として後継者争いから弾《はじ》き飛ばされ、有若と曾参が残った。しかし、排除された三人に担ぎ出されるような隙《すき》を見せた有若は曾参の対抗馬にはなりえなかったろう。後継者となった曾参は『論語』中に自分の単独のことばを大量に書き加え、あたかも孔子の一番弟子であるかのように装った。その際に当然のこととして、自らの名を「曾子」（曾先生）と記載した。

以上の顚末《てんまつ》は、二十世紀初頭のソ連邦においてレーニンの死後、後継争いで名だたる本命が愚物とみなされていたスターリンにしてやられる経過とそっくりである。曾参が孔子から「魯」（遅鈍）と評されていた点まで酷似している。スターリンが蹴落《けお》としたトロツキィ・カーメネフ・ジノヴィエフの三名はいずれもユダヤ系ロシア人であり、スターリンはそこを巧みに突いたが、孔子教団でも、子貢と子夏は衛国人、子張は陳国、子游は呉国の出身であり、それも後継争いに影響を与えた可能性が高い。もちろん曾参はスターリンのように陰湿ではなかったから『論語』からライヴァルのことばを削《けず》り取るようなことはしなかったが、曾子の影響で孔子の学風が大きく変わったことは否定できない。その変化は、天下国家の救済を目的とする大乗仏教が個人救済の小乗仏教へと変質していったのと似ている。孔子の説く天下国家論は曾子には見られない。

さて、なぜ推測の域を出ない後継者争いに言及したのかというと、私は弟子のことばに対する現代の高校生たちの「ウザッタイ」という反応は、かなり的確な批評であると考えているからだ。弟子たちのことばは、一言でいえば「鼻持ちならない」か「ケチくさい」ものが多い。これは、われこそ一番弟子との競争意識を抜きには説明できそうにない。顔回は早世して後継者争いに加わらずにすんだが、彼さえ孔子の偶像化を始めているし、子禽《しきん》に至っては、兄弟子の子貢に向かって「あなたは孔子より優れている」（子張第十九─二十五）とまでオベンチャラを言っている。子禽の言辞は後継争いの中で右往左往する弟子の姿を象徴していると見てよいだろう。

弟子たちのことばは、よく知られた章句と、孔子の死後の弟子たちの言動が分かるものを選び、年長者順に並べてある。

1　有若《ゆうじやく》（孔子より十三歳若い）

一　**その人がらが親孝行で家族思いでありながら、上司に逆《さか》らってばかりいるなどという者はまずいない。上司に逆らわない者が反乱を起こした例など聞いたことがない。ひとかどの人物になろうと思うなら基本を大切にすることだ。基本ができれば道は自ずと拓《ひら》ける。親孝行と家族思いが仁を体得する基本である。**

（**学而第一―二**）

有子曰、其爲人也、孝弟而好犯上者、鮮矣、不好犯上而好作乱者、未之有也、君子務本、本立而道生、孝弟也者、其爲仁之本與、

有子《ゆうし》曰わく、其《そ》の人と為《な》りや、孝弟《こうてい》にして上《かみ》を犯《おか》すことを好む者は鮮《すく》なし。上を犯すことを好まずして乱を作《な》すことを好む者は、未《いま》だこれ有らざるなり。君子は本《もと》を務《つと》む。本《もと》立ちて道生《しょう》ず。孝弟なる者は其れ仁《じん》の本《もと》たるか。

【解説】

○有若は、姓は有、名は若、字は子有。司馬遷の『史記―仲尼弟子列伝七』には有若は孔子より四十三歳若いとあるが、有若の言葉が『論語』の二章句目に載っている点や、孔子の死後師に擬せられている点からも十三歳若年説が妥当だろう。

二　**礼の効用を十分に発揮させるには、「礼」と「世間の慣習」との調和が大切である。そ**

れが出来ていたからこそ昔の聖王の政治は素晴らしかったのだ。しかし小事にせよ大事にせよ、調和はとれていても上手《うま》くいかないことがある。それは調和を優先し過ぎて礼のタガが外れているためだ。礼による「引き締め」と世間の慣習との「調和」との兼《か》ね合いが難しい点である。

（学而第一―十二）

有子曰、禮之用和爲貴、先王之道斯爲美、小大由之、有所不行、知和而和、不以禮節之、亦不可行也、

有子《ゆうし》曰わく、礼の用は和を貴しと為《な》す。先王の道も斯《こ》れを美と為《な》す。小大これに由《よ》るも行なわれざる所あり。和を知りて和すれども礼を以てこれを節《せつ》せざれば、亦《ま》た行なわるべからず。

【解説】

◎従来の訳では、何との調和であるのか分かり難いので蛇足を加えて訳した。

2　顔回《がんかい》（孔子より三十歳若い）

一　わたしは思わず溜息《ためいき》をついてしまう。先生を振り仰ぐと、ますます高くなり、切り込もうとすればするほど堅《かた》くなる。しかも前にいるかと思えば後ろにいるように変幻自在だ。

まことに上手に人を教導なさる。わたしを学問で啓発し、礼で引き締めてくださる。やめようと思ってもやめられない。わたしは才能を出し尽くしているのだが、先生は高みに立たれて、わたしを誘《いざな》う。先生についていきたいと心ははやるが、手立てのないのが心苦しいばかりだ。

（子罕第九—十一）

顔淵喟然歎曰、仰之彌高、鑽之彌堅、瞻之在前、忽焉在後、夫子循循然善誘人、博我以文、約我以禮、欲罷不能、既竭吾才、如有所立卓爾、雖欲從之、末由也已、

顔淵《がんえん》、喟然《きぜん》として歎じて曰わく、これを仰げば弥々《いよいよ》高く、これを鑽《き》れば弥々堅し。これを瞻《み》るに前に在れば、忽焉《こつえん》として後《しりえ》に在り。夫子《ふうし》、循循然《じゅんじゅんぜん》として善く人を誘《いざな》う。我れを博《ひろ》むるに文を以てし、我れを約するに礼を以てす。罷《や》まんと欲《ほっ》するも能《あた》わず。既《すで》に吾が才を竭《つ》くす。立つ所ありて卓爾《たくじ》たるが如し。これに従わんと欲すと雖ども、由《よし》なきのみ。

3　子貢《しこう》（孔子より三十一歳若い）

一　先生がわたしより遙《はる》かに若い後輩弟子の子賤《しせん》を「君子だ」と激賞したことがあった。そ

こで、「わたしはいかがなものでしょうか」と先生に訊《たず》ねてみた。すると先生は「お前は器《うつわ》だ」と仰言《おつしや》った。先生は常々「君子は器用なスペシャリストにとどまっていてはならない」と仰言っていたので、内心がっかりして「何の器ですか」とお訊《たず》ねしたら、先生は「お前は神前に供《そな》えるかけがえのない器だよ」と仰言ってくださった。

（公冶長第五―四）

子貢問曰、賜也何如、子曰、女器也、曰、何器也、曰、瑚璉也、

子貢《しこう》、問いて曰わく、賜《し》や何如《いかん》。子曰わく、女《なんじ》は器なり。曰わく、何の器ぞや。曰わく、瑚《こ》璉《れん》なり。

【解説】

◎公冶長第五―三と一対と解して訳した。

二　君子といえども過《あやま》ちを犯すが、公明正大で誤魔化さないから、人々は日食や月食を見るように、君子がどこを欠け過ったか分かるのだ。また日食や月食のように、すぐに元に戻るから、人々は君子を尊敬するのだ。

（子張第十九―二十一）

子貢曰、君子之過也、如日月

子貢曰わく、君子の過《あやま》ちや、日月の蝕《しよく》するが如し。過

之蝕焉、過也人皆見之、更也人皆仰之、

つや人皆なこれを見る、更《あらた》むるや人皆なこれを仰ぐ。

三　**弟弟子の子禽《しきん》が、「あなたは謙遜し過ぎです。あなたが先生以下なんてことはありませんよ」と言うから、こう答えた。「何てことを言うんだ。君子は一言でリコウかバカか判断されるぞ。口には気をつけろ。わたしが先生に及ぶわけがないのは、人が梯子《はしご》を掛けて天に登れないのと同じことだ。もしも先生が国を治めたなら、国民は立たせりゃ立つし、歩かせれば歩くし、安らげば慕《した》い寄り、指導すれば調和し、生存中は国は栄えに栄え、死なれたら国中が嘆き悲しむことになるんだぞ。そんな先生にどうしてわたしが及ぶというんだ！」と。**

（子張第十九―二十五）

陳子禽謂子貢曰、子爲恭也、仲尼豈賢於子乎、子貢曰、君子一言以爲知、一言以爲不知、言不可不慎也、夫子之不可及也、猶天之不可階而升也、夫

陳子禽《ちんしきん》、子貢に謂いて曰わく、子《し》は恭《きょう》を為《な》すなり。仲尼、豈《あ》に子より賢《まさ》らんや。子貢曰わく、君子は一言以て知と為し、一言以て不知と為す。言は慎しまざるべからざるなり。夫子《ふうし》の及ぶべからざるや、猶《な》お天の階《かい》して升《のぼ》るべからざるがごときなり。夫子にして邦家を

子得邦家者、所謂立之斯立、道之斯行、綏之斯來、動之斯和、其生也榮、其死也哀、如之何其可及也、

得るならば、所謂《いわゆる》これを立つれば斯《ここ》に立ち、これを道びけば斯に行《したが》い、これを綏《やす》んずれば斯に来たり、これを動かせば斯に和す、其の生くるや栄え、其の死するや哀《かな》しむ。これを如何《いかん》ぞ其れ及ぶべけんや。

【解説】

○子貢は孔子の死後三年の喪の明けた後も後継者争いに加わらず、さらに三年間喪に服した後、独り故郷に帰ったという。

4　子夏《しか》（孔子より四十四歳若い）

一　賢人を好むこと、あたかも美人を好むようにし、父母に仕《つか》えて助力を惜《お》しまず、君主に仕えて粉骨砕身し、友人と交際して信義を重んじる。こんな者であれば、学問のない者でも、わたしはこれこそ学問を身につけた人と呼ぶだろう。

（**学而第一—七**）

子夏曰、賢賢易色、事父母能竭其力、事君能致其身、與朋

子夏《しか》曰わく、賢《けん》を賢として色に易《か》え、父母に事《つか》えて能《よ》く其の力を竭《つく》し、君に事えて能く其の身《み》を致《いた》し、朋友《ほうゆう》

友交、言而有信、雖曰未學、　と交わるに言いて信あらば、未だ学ばずと曰うと雖《いえ》ど
吾必謂之學矣、　も、吾れは必らずこれを学びたりと謂《い》わん。

二　広く学び、意志を強くし、常に疑問を持ち、身近な問題に目を向ける。そうした行為の中にこそ仁は芽生《めば》えるものだ。

子夏曰、博學而篤志、切問而　子夏曰わく、博《ひろ》く学びて篤《あつ》く志し、切《せつ》に問いて近く思
近思、仁在其中矣、　う、仁其の中《うち》に在り。

（子張第十九―六）

【解説】

○「切問而近思」は、朱熹《しゅき》の編著『近思録』の題名の出典。

三　不出来な者が過《あやま》ちを犯すと、必ず誤魔化そうとしたり、言い訳をしたりする。

子夏曰、小人之過也必文、　子夏曰わく、小人《しょうじん》の過《あやま》つや、必らず文《かざ》る。

（子張第十九―八）

四　子游《しゆう》が「子夏《しか》の弟子たちは掃除や客の応対や行儀作法といった末梢《まっしょう》のことはまずまずだ

が、肝心の点はゼロだ。あれじゃ、だめだ」と批判したから、こう反論してやった。「子《し》游《ゆう》よ、お前は間違っている。君子となるための教育は何を先にし何を後にすると決まったやり方があるわけではない。これは草木の種類によって育て方が異《こと》なるのと同じことだ。君子教育に無理強《じ》いは禁物だ。後先《あとさき》かまわず体得できるなんていうのは聖人くらいのものだ」と。

（子張第十九―十二）

子游曰、子夏之門人小子、當酒掃應對進退則可矣、抑末也、本之則無、如之何、子夏聞之曰、噫、言游過矣、君子之道、孰先傳焉、孰後倦焉、譬諸草木區以別矣、君子之道、焉可誣也、有始有卒者、其唯聖人乎、

子游《しゆう》曰わく、子夏の門人小子《しょうし》、酒掃《さいそう》応対進退に当たりては則ち可《か》なり。抑々《そもそも》末なり。これを本《もと》づくれば則ち無し。これを如何《いかん》。子夏これを聞きて曰わく、噫《ああ》、言《げん》游過《ゆうあやま》てり。君子の道は孰《いず》れをか先きにし伝え、孰れをか後にし倦《う》まん。諸《こ》れを草木の区にして以て別あるに譬《たと》う。君子の道は焉《いずく》んぞ誣《し》うべけんや。始め有り卒《お》わり有る者は、其れ唯《た》だ聖人か。

5　子游《しゆう》（孔子より四十五歳若い）

一　**君主に仕《つか》えてあまり小うるさくすると、機嫌をそこねて恥をかかされるようなことをされかねない。友人とつきあって小うるさくすると、煙たがられて嫌われかねない。**

（里仁第四—二十六）

子游曰、事君數斯辱矣、朋友數斯疎矣、

子游《しゆう》曰わく、君に事《つか》うるに数々《しばしば》すれば、斯《ここ》に辱《はずか》しめられ、朋友に数々すれば、斯に疎《うと》んぜらる。

二　**わが年少の友である子張《しちょう》君は、人のできないことをよくやってはいるが、まだまだ仁にはほど遠いね。**

（子張第十九—十五）

子游曰、吾友張也、爲難能也、然而未仁、

子游曰わく、吾が友張《ちょう》や、能《よ》くし難きを為《な》す。然れども未だ仁ならず。

6　**曾参《そうしん》**（孔子より四十六歳若い）

一　わたしは一日に何度も反省する。人の相談に乗って、本当に真心《まごころ》をこめて応対できたか。友人と交際して誠実であったか。まだ自分が習熟していないことを人に教えたりしなかったかと。

（学而第一―四）

曾子曰、吾日三省吾身、爲人謀而忠乎、與朋友交言而不信乎、傳不習乎、

曾子《そうし》曰わく、吾《わ》れ日に三《み》たび吾が身《み》を省《かえり》みる。人の為めに謀《はか》りて忠《ちゅう》ならざるか、朋友と交わりて信ならざるか、習わざるを伝うるか。

【解説】

○「三」は沢山の意味であるが、朝・昼・晩の三度と解することも、三点と解することもできる。

二　先生が、このわたしに「なあ、参《しん》よ、わたしの歩みは一本道だよ」と仰言《おっしゃ》ったので、「承知しております」とお答えした。すると、先生が出て行かれた後、残った弟子たちが「何です、なんです、どういうことなんですか」と訊《き》くから、「先生の歩まれて来た道は、真心《まごころ》と思いやりの一本道ということだよ」と教えてやった。

（里仁第四―十五）

子曰、參乎、吾道一以貫之哉、

子曰わく、参《しん》よ、吾が道は一《いつ》以てこれを貫《つらぬ》く。曾子《そうし》曰

曾子曰、唯、子出、門人問曰、何謂也、曾子曰、夫子之道、忠恕而已矣、

わく、唯《い》。子出《い》ず。門人問うて曰わく、何の謂いぞや。曾子曰わく、夫子《ふうし》の道は忠恕《じょ》のみ。

三　**病気**になったので、**弟子**たちを集めてこう**話**した。「**夜具**からわたしの**手足**を**出**して、よく**調**べてみるがいい。**疵**一つないだろう。**詩経**《しきょう》の**中**に『おそれ**慎**め、**深**い**淵**の**際**《きわ》に**立**つように、**薄氷**の**上**を**歩**むように』とあるだろう。そのように、わたしは**父母**が**与**えてくれた**身体**を**傷**つけないように**細心**の**注意**を**払**ってきたのだ。**今**ここで**死**ぬかもしれないが、その**気苦労**から**解放**されると**思**うとホッとするくらいだ。これを**見習**うんだぞ、えッ、**諸君**よ」

（**泰伯第八**――三）

曾子有疾、召門弟子曰、啓予足、啓予手、詩云、戰戰兢兢、如臨深淵、如履薄冰、而今而後、吾知免夫、小子、

曾子、疾《やまい》あり。門弟子《もんていし》を召《よ》びて曰わく、予《わ》が足を啓《ひら》け、予が手を啓け。詩に云《い》う、戰戰兢兢《せんせんきょうきょう》として、深淵に臨むが如く、薄冰《はくひょう》を履《ふ》むが如しと。而今《いま》よりして後《のち》、吾れ免《まぬが》るることを知るかな、小子《しょうし》。

【解説】

○曾子は「鳥のまさに死なんとするや、その鳴くや哀《かな》し。人のまさに死なんとするや、その言うや善《よ》し」（泰伯第八―四）など、美辞麗句の引用を得意としているが、神学校出身のスターリンも引用がお得意だった。

四　士たる者は、広い心と堅固な意志とを併《あわ》せ持っていなければならない。なぜなら責任は重く、道のりは険《けわ》しく遠いからだ。仁の体得と奨励が任務であり、これは何と重い責務だろう。しかも死ぬまで歩み続けなければならない。これは何と遠い道のりであることだろう。

（泰伯第八―七）

曾子曰、士不可以不弘毅、任重而道遠、仁以爲己任、不亦重乎、死而後已、不亦遠乎、

曾子曰わく、士は以て弘毅《こうき》ならざるべからず。任《にん》重くして道遠し。仁以て己れが任と為《な》す、亦た重からずや。死して後已《のちや》む、亦た遠からずや。

【解説】

◎穿《うが》って見れば、後継者としての就任演説（生涯在任宣言）と読めないこともない。

五　君子は学問を中心にして友人を集め、友人との切磋琢磨《せっさたくま》によって自らが仁徳者となる手

助けとするものだ。

（顔淵第十二—二十四）

曾子曰、君子以文會友、以友輔仁、　曾子曰わく、君子は文を以て友を会し、友を以て仁を輔《たす》く。

【解説】

◎これも穿《うが》った見方をすれば、後継者争いで同盟を結んだ三人に対する批判と読める。

六　子張《しちょう》の容姿や挙措《きよそ》は堂々たるものだが、一緒に仁をなす段階にはほど遠いね。

（子張第十九—十六）

曾子曰、堂堂乎張也、難與竝爲仁矣、　曾子曰わく、堂堂たるかな張や、与《とも》に並んで仁を為《な》し難し。

【解説】

◎「子張は押し出しが立派であったが内実がともなわなかった」というのが従来の説だが、私はここにも後継者争いが背景にあったと見ている。三頭同盟の中で一人だけ曾参より年少の子張を切り崩す目的がありはしなかったろうか。

7　子張《しちょう》（孔子より四十八歳若い）

一　士という者は、危急の際には命を惜しまず、利益を前にしては道義上得てよいものか否かを考え、祭祀《さいし》に臨んでは敬虔《けいけん》な思いに浸《ひた》り、喪《も》では哀悼《あいとう》の念を懐《いだ》く。以上の四点ができれば、まず及第というところだろう。

（子張第十九—一）

子張曰、士見危致命、見得思義、祭思敬、喪思哀、其可已矣、

子張曰わく、士は危うきを見ては命《いのち》を致たし、得るを見ては義を思い、祭りには敬を思い、喪《も》には哀を思う。其れ可《か》ならんのみ。

二　年長弟子の子夏《しか》さんの門人とこんな問答をした。

「友人との交際はどうあるべきでしょうか」

「お前の師匠の子夏さんは、どう教えている」

「良い人とは交際し、良くない人とは交際するなと教わりました」

「そりゃあ、わたしが大先生からお聞きしたのと大違いだ。君子は優《すぐ》れた人を尊《たっと》ぶが、そうでない人も受け入れる。善《よ》い人は誉《ほ》め、いたらぬ者には同情する。自分が優れた人間な

らば、どんな人物でも受け入れられるし、自分がダメな人間ならば向こうがこっちを拒絶するだろう。なにも、わざわざこっちから交際を求めたり、断《ことわ》ったりする必要などないはずだ」

（子張第十九―三）

子夏之門人問交於子張、子張曰、子夏云何、對曰、子夏曰、可者與之、其不可者距之、子張曰、異乎吾所聞、君子尊賢而容衆、嘉善而矜不能、我之大賢與、於人何所不容、我之不賢與、人將距我、如之何其距人也、

子夏の門人、交わりを子張に問う。子張曰わく、子夏は何とか云《い》える。対《こた》えて曰わく、子夏曰わく、可《か》なる者はこれに与《くみ》し、其の不可なる者はこれを距《ふせ》がんと。子張曰わく、吾が聞く所に異なり。君子、賢を尊びて衆を容《い》れ、善を嘉《よみ》して不能を矜《あわれ》む。我れの大賢ならんか、人に於いて何の容れざる所あらん。我れの不賢ならんか、人将《はた》我れを距《ふせ》がん。これを如何《いかん》ぞ其れ人を距がんや。

あとがき

本書を書くに当たっては、主として、貝塚茂樹氏の『論語』(世界の名著3・中央公論・一九六六年版)、金谷治氏の『論語』(岩波文庫青202―1・岩波書店・一九八四年版)、吉田賢抗氏の『論語』(新釈漢文体系1・明治書院・二〇〇四年版)の三冊を参照した。三書の他にも数々の訳書や研究書があり、それぞれの著者には厚く感謝申し上げたい。

それにしても短い章句に実に様々な訳や解釈のあることに今さらながら驚かされた。いったい孔子は何を言わんとしているのかと頭を抱えて投げ出したくなることも屢々《しばしば》だったが、そうした際に最も参考になったのは、これまで三十余年間にわたって大学ノートに書き貯めておいた生徒の質問や試験答案中の迷訳や珍訳の類《たぐい》だった。今はチリヂリとなった嘗《かつ》ての生徒諸君にこの場を借りて心より謝意を伝えたい。

私の祖父・佐久節は旧制高校や大学で漢文および中国語を教える傍ら漢学者として膨大な著作を残したが、大正六年(一九一七年)には旧制高等学校用の漢文教科書『論語抄』を編《へん》纂《さん》している。私が、「論語を訳してみないか」との編集者からの勧《すす》めを一度は断りながら再考して引き受けたのは、話が持ち込まれたのが祖父が論語抄を出版してから丁度八十八年目の米寿に当たることに思い至っただけの、たわいのない理由からだった。しかし、まがりなりにも訳を終えて思うに、聖典としてでなく、一著作としての『論語』の解釈は、ようやくこれから始まるのではないだろうか。不遜を省みずに言えば、本書がその嚆矢《こうし》となれば幸いである。

佐久　協

★読者のみなさまにお願い

この本をお読みになって、どんな感想をお持ちでしょうか。次ページの「１００字書評」（原稿用紙）にご記入のうえ、ページを切りとり、左記編集部までお送りいただけたらありがたく存じます。今後の企画の参考にさせていただきます。また、電子メールでも結構です。

お寄せいただいた「１００字書評」は、ご了解のうえ新聞・雑誌などを通じて紹介させていただくこともあります。採用の場合は、特製図書カードを差しあげます。

なお、ご記入のお名前、ご住所、ご連絡先等は、書評紹介の事前了解、謝礼のお届け以外の目的で利用することはありません。また、それらの情報を六カ月を超えて保管することもありません。

〒一〇一―八七〇一　東京都千代田区神田神保町三―六―五　九段尚学ビル
祥伝社　書籍出版部　祥伝社新書編集部
電話〇三（三二六五）二三一〇　E-Mail : shinsho@shodensha.co.jp

キリトリ線

★本書の購入動機（新聞名か雑誌名、あるいは○をつけてください）

＿＿＿ 新聞の広告を見て	＿＿＿ 誌の広告を見て	＿＿＿ 新聞の書評を見て	＿＿＿ 誌の書評を見て	書店で見かけて	知人のすすめで

★100字書評……高校生が感動した「論語」

名前

住所

年齢

職業

佐久 協　さく・やすし

1944年、東京都生まれ。慶応義塾大学文学部卒業後、同大学院で中国文学・国文学を専攻。大学院修了後、慶応義塾高校で教職に就き、国語・漢文・中国語などを教える。同校生徒のアンケートで最も人気のある授業をする先生として親しまれてきた。2004年に退職。

高校生《こうこうせい》が感動《かんどう》した「論語《ろんご》」

佐久《さく》 協《やすし》

2006年7月5日　初版第1刷
2006年9月20日　第4刷

発行者……………深澤健一
発行所……………祥伝社しょうでんしゃ
〒101-8701　東京都千代田区神田神保町3-6-5
電話　03(3265)2081(販売部)
電話　03(3265)2310(編集部)
電話　03(3265)3622(業務部)
ホームページ　http://www.shodensha.co.jp/

装丁者……………盛川和洋　イラスト……………武田史子
印刷所……………萩原印刷
製本所……………ナショナル製本

Printed in Japan　ISBN4-396-11042-1　C0297

〈祥伝社新書〉好評既刊

001 抗癌剤　知らずに亡くなる年間30万人　平岩正樹
002 模倣される日本　映画、アニメから料理、ファッションまで　浜野保樹
003 「震度7」を生き抜く　被災地医師が得た教訓　田村康二
006 医療事故　知っておきたい実情と問題点　押田茂實
007 都立高校は死なず　八王子東高校躍進の秘密　殿前康雄
008 サバイバルとしての金融　株価とは何か・企業買収は悪いことか　岩崎日出俊
009 そうだったのか手塚治虫　天才が見抜いていた日本人の本質　中野晴行
010 水族館の通《つう》になる　年間3千万人を魅了する楽園の謎　中村　元
011 マザコン男は買いである　和田秀樹
012 副作用　その薬が危ない　大和田　潔
013 韓国の「昭和」を歩く　鄭《チョン》　銀《ウン》淑《スク》
014 日本楽《ラク》名山　50歳からの爽快山歩き　岳　真也
015 部下力　上司を動かす技術　吉田典生
016 脱税　元国税調査官は見た　大村大次郎
017 自宅で死にたい　老人往診3万回の医師が見つめる命　川人　明
018 戦争民営化　10兆円ビジネスの全貌　松本利秋
019 「野球」県民性　手束　仁
020 天皇家の掟　「皇室典範」を読む　鈴木邦男　佐藤由樹
021 自分を棚にあげて平気でものを言う人　齊藤　勇
022 浦島太郎は、なぜ年をとらなかったか　アインシュタインと遊ぶ　山下芳樹　白石　拓
023 だから歌舞伎はおもしろい　富澤慶秀
024 仏像はここを見る　鑑賞なるほど基礎知識　瓜生《うりゅう》　中《なか》
025 メロスが見た星　名作に描かれた夜空をさぐる　鮱名　博　えびなみつる
026 村が消えた　平成大合併とは何だったのか　菅沼栄一郎
028 名僧百言　智慧を浴びる　百瀬明治
029 温泉教授の湯治力　日本人が育《はぐく》んできた驚異の健康法　松田忠徳
030 アメリカもアジアも欧州《ヨーロッパ》に敵《かな》わない　「脱米入欧」のススメ　八幡和郎
031 蕎麦屋になりたい　実践！　手打ち修業の一週間　金久保茂樹
032 西部劇を見て男を学んだ　芦原　伸
033 囲碁・将棋100の金言　蝶谷初男　湯川恵子
034 ピロリ菌　日本人6千万人の体に棲《す》む胃癌の元凶　伊藤愼芳
035 神さまと神社　日本人なら知っておきたい八百万《やおよろず》の世界　井上宏生
036 家族の力　「自殺防止の会」が体験した家族愛の30年　野口誠一
037 志賀直哉はなぜ名文か　あじわいたい美しい日本語　山口　翼《たすく》
038 龍馬の金策日記　維新の資金をいかにつくったか　竹下倫《とも》一《かず》
039 前立腺　男なら覚悟したい病気　平岡保紀
040 ロウソクと蛍光灯　照明の発達からさぐる快適性　乾　正雄
041 日露戦争　もう一つの戦い　アメリカ世論を動かした五人の英語名人　塩崎　智
042 高校生が感動した「論語」　佐久　協《やすし》
043 日本の名列車　竹島紀《とし》元《もと》
044 組織行動の「まずい!!」学　どうして失敗が繰り返されるのか　樋口晴彦
045 日本史に刻まれた最期の言葉　童門冬二

以下、続刊